がんばる自分に
ごほうび旅

ことりっぷ co-Trip 海外版

ロサンゼルス・サンフランシスコ シアトルへ

ようこそ。

今日も１日お疲れ様でした。
何だか最近、疲れることが増えてきたりしていませんか？
そんなときはちょこっと旅に出かけてみるのもいいものです。
少しの間、面倒なことは全部忘れて、リフレッシュ。
立ち止まった旅の街角で、心にひびく何かに出会えたら、
明日もまたがんばれます。

いってきます。

アメリカ西海岸に行ったら…

さて、なにをしましょうか?

セレブが集まるエリアをお散歩したり、ケーブルカーで美しい街並みを訪ねたり……。港町の喧噪に触れるのも楽しいですね。

ロサンゼルスもサンフランシスコもシアトルも、都会的な雰囲気と自然の両方を味わえるのが魅力。ロサンゼルスではセレブの暮らしぶりをのぞき見。サンフランシスコでは坂の上からの眺望を満喫し、シアトルではローカルの日常に触れてみるのもすてきです。

ビクトリア様式の建物が並ぶ風景はサンフランシスコならでは P.79

check list

- □ セレブ御用達のエリアをおさんぽ P.20・22
- □ ビバリーヒルズを歩く P.22
- □ ビーチ・シティでローカル気分を満喫 P.24・72
- □ ファーマーズ・マーケットへ P.48・82
- □ カリフォルニア・ワインの街へ小旅行 P.68・106
- □ ケーブルカーで美しい街並みをお散歩 P.78
- □ ゴールデン・ゲート・ブリッジをサイクリング P.80
- □ ちょっと足をのばして大学の街バークレーへ P.102・104
- □ ひと足のばして国立公園へ P.112
- □ グルメコーヒーの聖地でカフェ体験 P.124

緑豊かなワイナリーでピクニック気分を満喫しながら、ワインのテイスティングを P.107

気候のいい西海岸ではお花もイキイキ

ローカルの人に混じってマンハッタン・ビーチをお散歩します P.72

フィッシャーマンズ・ワーフ P.79には魚介だけではなくさまざまな商品の露店が

写真提供:カリフォルニア観光局 Andreas Hub

ヨセミテ国立公園で、大地のエネルギーと生命力を体いっぱいに受け止めて P.112

愛犬と一緒に公園の芝生での～んびり

アメリカ西海岸に行ったら…

なにを食べましょうか?

**本場のシーフードに舌鼓をうったり、
繊細なオーガニック料理に感動したり……。
もちろんカップケーキやパンもハズせません。**

ロサンゼルスでは、セレブ行きつけのレストランやグルメハンバーガーにチャレンジ。サンフランシスコではオーガニック・レストランを訪ね、シアトルではラテ・アートが美しいコーヒーを堪能。食のレベルが高い3都市では、グルメな味をとことん楽しみましょう。

フュージョン料理はLAの名物。ぜひ召し上がれ P.62

かわいいカップケーキは飾っておきたい P.56

check list

- □ セレブ行きつけのレストラン P.50
- □ おしゃれカフェ P.52・96・124
- □ かわいいカップケーキ P.56
- □ 評判のグルメバーガー P.60
- □ 港街のシーフード P.92
- □ ヘルシー・レストラン P.94
- □ グルメ・シティで評判のベーカリー P.98

フィッシャーマンズ・ワーフのカニはその場で食べられます P.79

なにを買いましょうか?

**ローカル・デザイナーのユニークな作品や
エココンシャスなアイテムは
自分用にもおみやげ用にもぴったりです。**

セレブが多いロサンゼルスでは、注目の若手デザイナーの作品をお目当てに。エコ・フレンドリーなサンフランシスコやシアトルでは、地球環境にやさしいファッションや雑貨にも目を止めてみましょう。シアトルではアウトドア・グッズも忘れずにチェック。

ローカルアーティストの作品を扱うお店には思わぬ掘り出し物も P.24

セレクトショップにはおしゃれなワンピがいっぱい P.21・32・86

オーガニックのスキンケア・グッズは要チェック P.90

check list

- □ セレブ御用達のセレクトショップ P.32
- □ 地元デザイナーのアクセサリー P.38
- □ 地元女子に人気のコスメ&ソープ P.40・90
- □ かわいい雑貨&ステーショナリー P.42
- □ サンフランシスコの人気セレクトショップ P.86
- □ ショコラティエのおいしいおみやげ P.128
- □ 評判のアウトドアアイテム P.130

ことりっぷ co-Trip 海外版

ロサンゼルス サンフランシスコ シアトル

Contents

●見どころ&街歩き
●ショッピング
●グルメ
●ナイトスポット
●ホテル

Los Angeles, San Francisco & Seattle

まずはアメリカ西海岸の概要について知りましょう

アメリカの西海岸に点在するロサンゼルス、サンフランシスコ、シアトル。
日本とは文化も習慣も異なるので、戸惑うこともしばしばです。
旅立つ前に、必要最低限の現地情報は頭に入れておきましょう。

U.S.A. WEST COASTキホン情報Q&A

Q 日本からLAまでどのくらい？

A 直行便で約10時間です。
羽田と成田・関空からLAに直行便が運航。サンフランシスコへは、羽田・成田・関空から所要時間約9～10時間、シアトルへは成田から所要時間9時間30分、それぞれ直行便が運航しています。

Q 日本との時差はどれくらい？

A 日本の冬の22時はアメリカ西海岸で同日の朝の5時。時差は17時間、夏はサマータイム（3月第2日曜～11月第1日曜）となるので時差は16時間となります。西海岸の方が半日以上日本より遅くなります。

Q 通貨とレートについて教えて？

A $1＝約112円（2016年4月現在）
通貨はUS＄（ドル）と¢（セント）で＄1＝100¢。10000円＝約＄89となります。＄1紙幣はチップに使うため、多めに用意しておきましょう。硬貨は25¢をクォーター、10¢をダイム、1¢をペニーと呼ぶことが多いので注意して。

現金はどうすればいいの？

円からドルへの両替は通常、日本でする方がお得ですが、現地の空港や銀行、町なかの両替所でも可能。大きなホテルでは宿泊者のみが対象です。またATMでもVisaなどのクレジット・デビット・トラベルプリペイドカードを使って、ほとんど24時間、現金を引き出すことができます。

Q アメリカ西海岸の気候を教えて？

A ロサンゼルスは1年を通して過ごしやすい気候。夏は高温になる日もありますが、湿度が低いので快適です。サンフランシスコは年間を通して気温の差があまりなく、真夏でも霧が出ると肌寒いほどです。シアトルは北海道より高い緯度に位置しますが、雪が降ることはあまりありません。どの街も基本的に夏は雨が少なく、冬にまとまった雨が降ることが多いです。

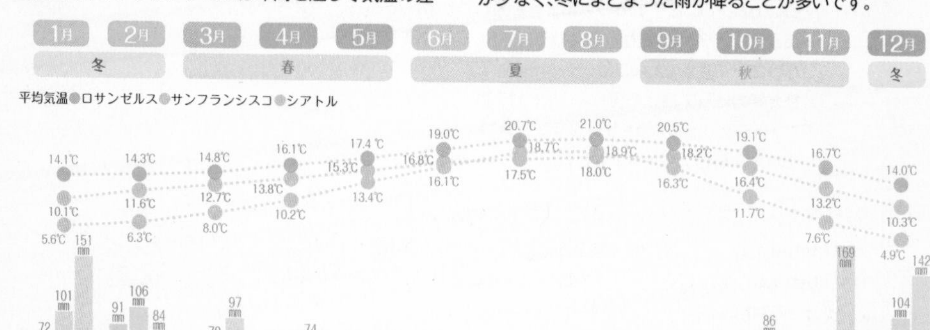

※平均気温と平均降水量は気象庁ホームページに基づきます。

Q 税金とチップはどうなっているの？

A セールス・タックス（消費税）は都市によって異なります。ロサンゼルスは9%、サンフランシスコは8.75%、シアトルは9.60%（2016年4月現在）。ただし、セールス・タックスは変更する場合があるので注意しましょう。また、アメリカではサービスを受けたらチップを渡すのが当然の習慣。ホテルのベルボーイなどはひと手間につき＄1～2。レストランやタクシーなどは料金の15%が目安です。

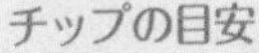

チップの目安

タクシー
料金の15%。荷物を出し入れしてもらったら1個につき＄1ほど

レストラン＆バー
飲食代金の15～18%（セルフサービスやサービス料が加算されている場合は不要）

ホテル
荷物を運んでもらったら、1個につき＄1～2
毛布を持ってきてもらうなど頼みごと1つにつき＄1
ベッドメイキングは1ベットにつき＄1

Q お酒とタバコのルールは？

A 飲酒は21歳からで、公園など公共屋外での飲酒は禁止。酒類の購入の際にはID（パスポートなどの身分証明）提示が必要です。バーやクラブなどでも、年齢確認のため提示を求められることがあります。またアメリカ西海岸では、レストランやバーを含む、すべての公共の建物内での喫煙は禁止。屋外での喫煙も、道路や公園など人の集まる公共の場所では禁止されています。

アメリカでは、年齢確認のためだけでなく、セキュリティの面からもID（身分証明）の提示を求められることがあります。パスポートはできるだけ携帯しておくのがおすすめです

Q 市内の移動は？

A 観光スポットが広域に点在しているロサンゼルスでは、レンタカーの移動が便利。縦横無尽に走るフリーウェイを使えば、効率よく回ることができます。サンフランシスコはケーブルカーやバート、ミュニメトロを利用するのがおすすめ。坂の街ですが、さほど広くないので歩いて回るのも楽しいです。シアトルは小さな街なので、おもな観光スポットは歩いて回れます。

人種構成も3都市それぞれに個性的

ロサンゼルスは市民の約半数がヒスパニックやラテン系。サンフランシスコは半数は白人ですが、アジア系が30%以上を占めています。シアトルは70%近くが白人で、アジア系は14%弱、ヒスパニック＆ラテン系も10%以下。3都市とも黒人は10%以下です。同じ西海岸の都市でも人種構成により、それぞれの街の雰囲気も異なります。

北に行くほど白人の比率が高いんです

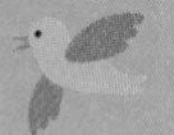

アメリカ西海岸のユニークな法律

アメリカには国とは別に州ごとに制定された法律がありますが、なかには冗談のようなものもあります。例えばカリフォルニア州には、「女性がバスローブ姿で運転するのは違法」「狩猟免許なしでねずみ捕りを仕掛けてはいけない」という法律が。ワシントン州には「日曜のマットレス購入は禁止」という首をひねりたくなる法律もあります。

その他の基本情報は➡P.141をチェック

ロサンゼルス、サンフランシスコ、シアトル アメリカ西海岸の3都市を旅します

ひと口にアメリカ西海岸といっても、その表情は多彩です。
陽光きらめくセレブの街だったり、美しい建物が並ぶ坂の街だったり、ロハスな街だったり……。
地図をチェックしながら、それぞれの街の位置関係やどんなところなのかをおさえておきましょう。

こんなすてきな夜景も!

青い空と美しいコーストライン、
映画の都として有名なハリウッドと、
さまざまな表情を持つ街。
おしゃれなショップもいっぱい

1 ロサンゼルス Los Angeles

ここに行きたい!

ビバリーヒルズをおさんぽ P.22
サンタモニカのビーチサイドを歩く P.24・72
地元デザイナーのアクセサリーに出会う P.38
セレブ御用達のレストランへ P.50

世界で一番有名な看板は間違いなくこれ!

サンタモニカ・ピアはローカルにも人気の観光スポット

1934年開業のファーマーズ・マーケット

すてきなパーティドレスも買えちゃいます

鮮やかなブルーが印象的なロングドレスです

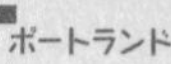

オレゴン州

カリフォルニア州

ネバダ州

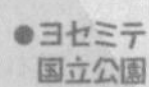

ヨセミテ国立公園

デスバレー国立公園

ラスベガス

1 ロサンゼルス

メキシコ

3都市間の移動に必要な時間

ロサンゼルスーサンフランシスコ	約1時間30分
ロサンゼルスーシアトル	約3時間
サンフランシスコーシアトル	約2時間

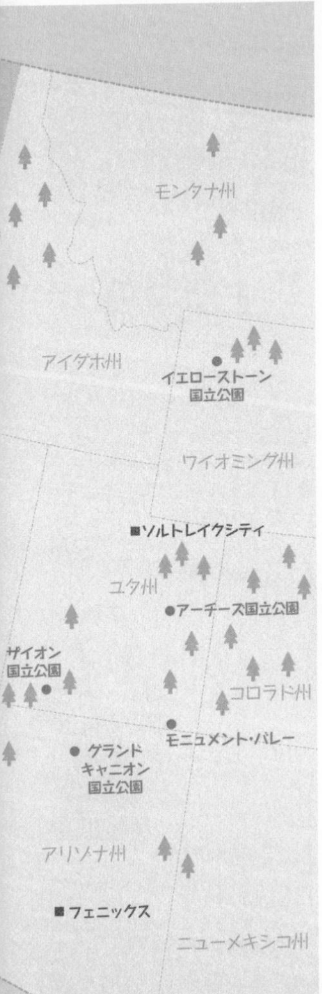

ケーブルカーから見る海の景色はサイコー!

オーガニックのオリーブオイルは農園直送

ファーマーズ・マーケットは新鮮果物の宝庫

ケーブルカーで急坂を上ったら
そこは絶景スポット
瀟洒な家並みが美しい
オーガニックでグルメな街

2 サンフランシスコ San Francisco

ゴールデン・ゲート・ブリッジもわたってみたい!

ここに行きたい!

ケーブルカーに乗る **P.78**
ゴールデン・ゲート・ブリッジをサイクリング **P.80**
オーガニック・レストランへ **P.94**

フィッシャーマンズ・ワーフは人気の観光名所

シアトル市民の台所でもある公営マーケット

豊かな自然が魅力のロハスな街。
世界的なIT企業の本社が多く、
市民はアウトドア遊びが大好き。
グルメコーヒーの聖地の顔も…

3 シアトル Seattle

ここに行きたい!

人気のマーケットでお買い物 **P.122**
グルメコーヒーを味わう **P.124**
ノースウエスト料理に舌鼓 **P.126**

高さ184mのスペースニードルは街のシンボル

コーヒーの味だけではなく、ラテアートもステキ

環境にやさしい雑貨もいろいろありま~す

My favorite

ロサンゼルス My フェイバリット

お気に入りの場所は? お休みの日はどう過ごすの? LAの女の子に聞いてみました

LAの女の子たちはどこでショッピングしてどこで遊ぶの? 仕事もプライベートも楽しんでいる、ローカルの女の子2人に、普段のお休みの過ごし方を聞いてみました。

フォーエバー21とかプチプラファッションのお店によく行きます

PROFILE

ロサンゼルスのANA米州室総務部で勤務されている原沙耶香さん

ショッピング

ショッピングは安くてかわいいものを探します

サード・ストリート・プロムナードは両側に、お店がズラリと並んでいます。女の子が好きそうな、かわいいファッションやアクセサリーのお店が多いんですよ。カフェやレストランもあるので、遊びに行くのにおすすめです。

サード・ストリート・プロムナード

Third Street Promenade

MAP P.24/別冊P.11 A-2 サンタモニカ

3ブロックにわたってまっすぐ延びる道。夜遅くまでにぎわいを見せる

アウトドア

マンハッタン・ビーチ

Manhattan Beach

MAP P.72/別冊P.4 F-4

地元で人気のビーチ。おしゃれなお店やカフェも多く週末はかなりにぎわう。

お気に入りはマンハッタン・ビーチ

人気の手作りアイスクリームもあります

ハイキングはランチ持参

外で食べるランチは格別です

お休みの日はビーチやハイキングへ出かけるのがMyブームです

お休みの日はアウトドア。マンハッタン・ビーチ➡P.72や、その隣のハモサ・ビーチで過ごします。LAには案外おしゃれなビーチがたくさんあるんですよ。ランチ持参でお友だちとハイキングに行くのもマイブームです。

レストラン

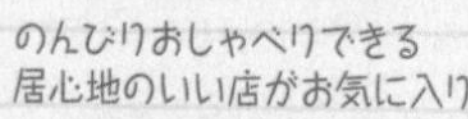

女の子同士で行くのにオススメ

26ビーチ・レストラン

26Beach Restaurant

MAP 別冊P.5 A-4 ベニス

URL www.26beach.com

ブランチのフレンチトーストや、おいしいハンバーガーで有名なお店

気軽にさくっと食べられるのもいいですね

のんびりおしゃべりできる居心地のいい店がお気に入り

お気に入りのお店で女子同士、食事しながらおしゃべりするのも楽しいですね。26ビーチ・レストランはおしゃれなお店で、夜はロマンチックな雰囲気になります。ベーカリー・カフェも時間を気にせずいられるのでよく利用します。

LAってすてきなビーチがいっぱいあるの。ビーチも楽しんで欲しいかな

PROFILE

ロサンゼルスのANA米州顧客サービスセンター、セールスサポートデスクで勤務されているイオナ・ジョネットさん

取材協力：ANA

ロサンゼルスで おしゃれさんぽ

車がないと不便といわれるＬＡですが、
歩いて楽しめるエリアもけっこうあります。
セレクトショップやアクセサリーショップをのぞいたり、
カフェのテラス席で街行く人を眺めたり、と楽しみ方はさまざま。
やっぱり定番の観光地を押さえたい、というなら
眺め抜群のバス、ホップオンホップオフがおすすめです。

セレブな街の
おしゃれな風景を
パチリ！
strawberry
cream cheese

ロサンゼルスの街はこんな感じです

開放感あふれるビーチ・シティ、一流品を扱う店が集まる街、
最新トレンドを発信する街など、LAはそれぞれのエリアに特徴があります。
広大なLAは、何をしたいのか、目的によりエリアを絞って遊ぶのがおすすめです。

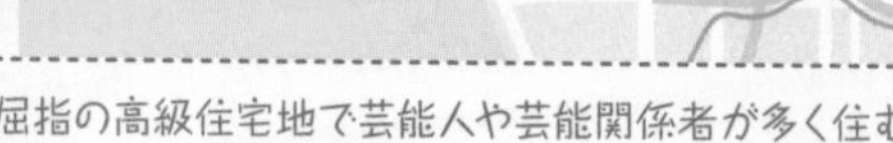

LAで一番有名なビーチ・シティ。
地元の人たちが休日に繰り出すビーチや、
ショッピングなど楽しめるスポットも多数

サンタモニカ Santa Monica

サンタモニカ・ピア **P.25・P.30**
サード・ストリート・プロムナード **P.12・P.25**
アボット・キーニー
メインストリート

映画の都として有名、観光客が世界中
から訪れる。街なかには映画関連の
歴史ある建物や劇場がたくさん

ハリウッド Hollywood

チャイニーズ・シアター **P.26・P.29・P.31**
ハリウッド＆ハイランド **P.26**

LA屈指の高級住宅地で芸能人や芸能関係者が多く住む。
一流ブランド店が集まるロデオ・ドライブもここ

ビバリーヒルズ Beverly Hills

ロバートソン・
ブールバード **P.20**
ロデオ・ドライブ **P.22**

閑静な住宅地に囲まれた、広大なUCLAのキャンパスと、学生でにぎわう街、ウエストウッド・ビレッジがあるエリア

ウエストウッド Westwood

UCLA（カリフォルニア大学ロサンゼルス校） **P.30**

スタイリッシュなカフェやブティックが集まるおしゃれなエリア。芸術家などクリエーターが多く住む

ロス・フェリッツ Los Feliz

グリフィス天文台 **P.63**

7

レストランやショップが軒を連ねるオールド・パサデナは、LAでも数少ない夜遅くまで遊べる街

パサデナ Pasadena

オールド・パサデナ
ノートン・サイモン美術館

6

サード・ストリート、グローブなどがあり、ミュージアム・ロウには5つの美術館が並ぶ。メルローズはヒップなショップが集まる街

メルローズ＆ミッド・ウィルシャー
Melrose & Mid Wilshire

メルローズ・アベニュー
グローブ **P.29**
ファーマーズ・マーケット **P.29**

サンセット・ストリップは、有名なライブハウスやおしゃれなクラブ、バーが集まる一大夜遊びスポット

ウエスト・ハリウッド
West Hollywood

サンセット・ストリップ **P.29**

LAの歴史と今が混在するエリア。続々と注目スポットが出現し街もイメージアップされた

ダウンタウン
Downtown

LAライブ **P.31**
オルベラ・ストリート **P.31**
ユニオン・ステーション **P.31**

行ってみたい本場のテーマパーク

LAから車で40分ほど南にあるアナハイムには、世界で最初のディズニーランド・リゾートとスヌーピーファンの聖地・ナッツベリーファームの2大テーマパークがあります。 MAP 別冊P.4 F-4

旅のしおり

ローカル気分とセレブ気分 2つの異なるロサンゼルスを楽しむプラン

**ビーチや話題のエリアをさんぽしたり、ちょっとミーハーに
セレブのごひいきのショップやレストランに行ってみたり、
LAの楽しみ方はそれぞれ。さあアクティブな旅をスタートしましょう。**

ビーチエリアで過ごす ローカル気分な1日

普段着の地元の人たちと
一緒に街を歩きましょう

8:30 サンタモニカのファーマーズ・マーケットから今日1日をスタート。マーケットを楽しんだら次の目的地へ、ビッグ・ブルーバス1に乗りMain Nb & Hollister Nsvで下車

10:00 人気のオーガニック・カフェで遅めの朝食をいただきます

11:20 人気のオーガニックスーパー、ホールフーズでヘルシーなおみやげを探します

13:00 アボット・キーニーでのランチは有名シェフが腕を振るう、カリフォルニア・フレンチのレストランで

14:00 お腹がいっぱいになったら、レストラン周辺のショップを探索に出かけます

16:00 Venice/Abott Kinneyからメトロ・ラピット733に乗車、Ocean/Coloradoで下車

朝はファーマーズ・マーケットP.48へ

アース・カフェP.52でヘルシーな朝食

フルーツたっぷりの
ワッフルで元気を補給

ワッフルは
朝食メニューです

ホールフーズP.65はおみやげ選びに最適

おいしそう

評判のジョーズP.46でランチにします

人気のヘイストP.33で歩きやすいサンダルをGet

アーバニック・ペーパー・ブティックP.43でカードを探します

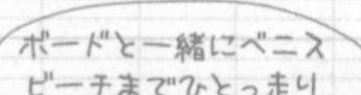

ボードと一緒にベニスビーチまでひとっ走り

新しく入荷した
ステーショナリーもすてき

16:30 ノスタルジックな桟橋の脇には、レトロできれいなメリーゴーランドが回っています。サンタモニカ・ピアはローカルの憩いの場所

17:30 人気のショッピングモール、サンタモニカ・プレイスへ

19:00 サード・ストリート・プロムナードをおさんぽ

20:00 有名女性シェフのモダン・メキシカンでディナー

22:00 タクシーでホテルへ

週末にはローカルの人もたくさん繰り出します

サンタモニカ・ピアの先端からは南北に延びる美しいコーストラインが見られます P.25

ピアにある遊園地パシフィック・パーク

シャッターチャンスがたくさん

サンタモニカ・プレイスはローカルにも人気のモール P.35

夜遅くまで人でにぎわうワン

サード・ストリート・プロムナード P.12・25は人気店が並びます

内装もエキゾチック

ボーダー・グリル・サンタモニカ P.47の料理はおいしいひと工夫が

今日のごほうび

ポップなデザインがお気に入り

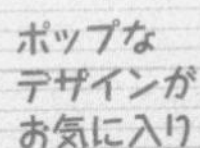

アーバニック・ペーパー・ブティックのスケジュール帳

アース・カフェのタピオカ入り抹茶シェーク

フルーツたっぷりのジャム

オーガニックのフルーツジャムをファーマーズ・マーケットで購入

ホールフーズのハウスブランドのハーブ

ファーマーズ・マーケットで見つけたポプリ

セレブ御用達スポットをおさんぽする1日

ワクワク気分でセレブ御用達のお店へ行ってきます！

9:00 今日はゆっくり起きてビバリーヒルズのカフェで遅めの朝食をいただきます

10:00 まずはハイブランドが軒を連ねるロデオ・ドライブへ。セレブな雰囲気のトゥー・ロデオにも行ってみましょう

11:00 ビバリー・ドライブやキャノン・ドライブも散策。ビバリーヒルズでもお手ごろ価格で買える、おしゃれなショップがたくさんあります

11:30 メイクアップアーティストのお店でオリジナル・ファンデーションをオーダー

12:00 大物俳優や有名スポーツ選手がごひいきの、ビバリーヒルズの名物ピザ屋さんでランチします

13:00 セレブご用達のショップが連なるLAの流行発信地、ロバートソン・ブールバードに向かいます

13:20 ロバートソンのセレクトショップで旬のファッションをチェックしてからサード・ストリートへ

朝からしっかりいただきます
VIA RODEO
N. RODEO DR
カスタムメイドのファンデーション
評判のホワイトソースのピザです
PIZZERIA

ル・パン・コティディアン P.55で朝ごはん

世界中の観光客も訪れる人気スポット

プラネット・ブルー P.36で着替え用サンドレスを

バレリー・ビバリーヒルズ P.22で作れます

マルベリー P.51のピザ。おいしくて、ちょっと食べ過ぎちゃった

ショップが軒をつらねるロバートソンは散歩にぴったり

最新トレンドファッションもチェック

おしゃれなデザインのトップスを見つけました

スカイ P.37には、きれいな色のカジュアルウエアがいっぱい

15:00 ちょっと疲れたのでカフェでひと休み

16:00 サード・ストリートのセレクトショップ巡りへ

17:30 LA内のモールで、一番セレブ遭遇率が高いビバリー・センターへ

18:00 ビバリー・センターのブランドショップもチェックしなくちゃ

19:00 お買い物の荷物を置きに、一度ホテルへ戻りましょう

20:00 ちょっとだけドレスアップして、ルーフ・オン・ウィルシャーでディナー。ナイトビューも楽しめます

22:00 タクシーでホテルへ

ちょっとひと休み

トースト・ベーカリー・カフェ P.55でお茶します

カラフルなドレスがところ狭しと

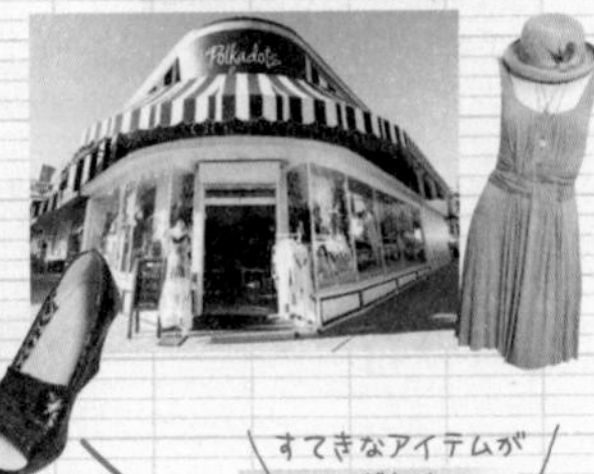

ポルカドッツ&ムーンビームス P.33のワンピにひと目惚れ

欲しいものがいっぱい

すてきなアイテムがずらり

サテーン P.32には個性的な靴ばかり、履きこなしてみたいな

セレブも良く出没するモールです

お買いものの仕上げはビバリー・センター P.29で

ルーフ・オン・ウィルシャー P.63で夜景にうっとり

今日のごほうび

お気に入りはコレ!

ちょっとセクシーなスリップドレスを着てディナーを楽しみました$172

ランチにオススメのオムレツ

トースト・ベーカリーカフェの野菜もフルーツもボリューム満点の一品

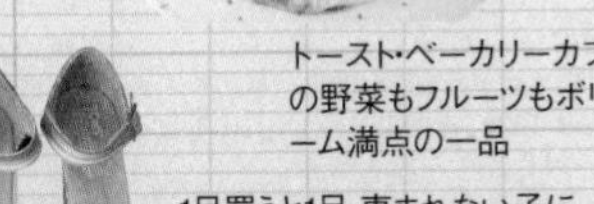

1足買うと1足、恵まれない子に靴が贈られるTOMSの活動に賛同$69

セレブも愛用するコスメを購入。きれいな発色のアイシャドー $100

LAの青い空に映えるオレンジのサンドレス$187

セレブが通うお買い物スポット ロバートソンを歩いてみましょう

LAファッションの流行発信地といえばロバートソン・ブールバード。おしゃれ上級者やセレブたちもお気に入りのショップが軒を連ねています。ハイエンドからカジュアルまで最旬アイテムをチェックしましょう。

Robertson

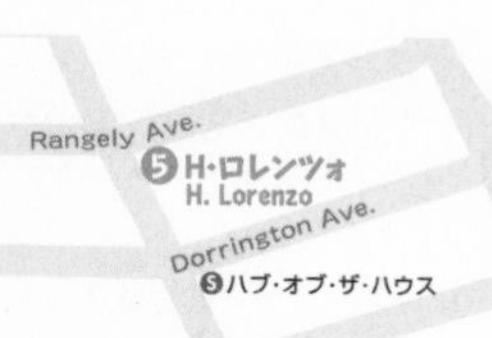

1 スプレンディッド
Splendid

大人カジュアルならここ

トップスからボトムス、シューズまで、リーズナブルな価格で手に入る。カジュアルで実用的、かつ着心地の良い服が多いのが魅力。

MAP P.20

所 111 S Robertson Blvd　交 ビバリー・センターから徒歩8分　☎ 310-860-0334
営 10:00～19:00（日曜11:00～18:00）
休 無休　C V、M、A、J
URL www.splendid.com

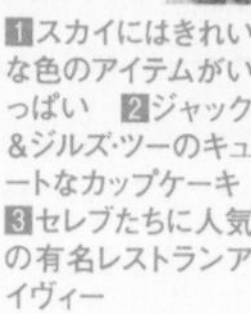

1 スカイにはきれいな色のアイテムがいっぱい　2 ジャック&ジルズ・ツーのキュートなカップケーキ　3 セレブたちに人気の有名レストランアイヴィー

2 ジャック&ジルズ・ツー
Jack n' Jill 's too

ブランチにぴったりのお店

近所に住む人たちがブランチに訪れる、落ちついたカフェ。おすすめはサンドイッチと野菜や肉が入った甘くないクレープ。

MAP P.20

所 8738 W 3rd St　交 ビバリー・センターから徒歩10分
☎ 310-858-4900　営 8:00～21:00（日曜9:00～）
休 無休　料 L $10 ～ D $14 ～
C V、M、A　URL www.jacknjillstoo.com

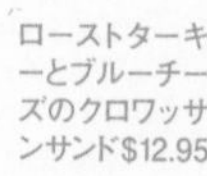

ローストターキーとブルーチーズのクロワッサンサンド$12.95

サラダでは一番人気のピーカン・シトラス・サラダ$12.95

ぐるっと回って 120分

ロバートソン・ブールバードへのAccess

ハリウッドからメトロバス212番に乗り、Wilshire Blvd & La Breaでメトロ・ラピッド720番に乗り換え。サンタモニカからメトロ・ラピッド720番を利用し、Wilshire Blvd & Robertson Blvdで下車。徒歩で10分です。

ロバートソンの中心地は

南北に伸びるロバートソン・ブールバード。サード・ストリートと交差するあたりからビバリー・ブールバードにかけてお店が集中しています。

ふらふらとウィンドウ・ショッピングも楽しい

あそこのお店、新しいお洋服が入ったわよ

鮮やかな赤が印象的なイーガル・アズローエルのワンピース$795

4 インターミックス
Intermix

トレンドのファッションが充実

NY発のセレクトショップ。広い店内にはステラ・マッカートニーら有名どころから、新進デザイナーまで幅広いラインを揃えている。

プロエンザ・スクーラーのバッグ$1995

MAP P.20

所110 S Robertson Blvd 交ビバリー・センターから徒歩8分 ☎310-860-0113 営10:00～19:00(日曜11:00～18:00) 休無休 ©V、M、A URL www.intermixonline.com

3 スカイ
Sky

カラフルな色使いが楽しい

赤・ピンク・青・緑と店内は、さまざまな色にあふれている。ドレスやトップスなどのデザインはディテールに凝っており、ちょっとしたアクセントにも遊び心がある。

MAP P.20

➡P.37

茶系のグラデーションのトップス。背中のデザインがユニーク$168

ネック部分にトルコ石風のアクセントがあるトップス$174

5 H・ロレンツォ
H. Lorenzo

最旬を発信し続けるショップ

世界中のハイエンドなファッションを扱うセレクトショップ。さまざまなデザイナーとのコラボで最新トレンドを発信。

MAP P.20

所474 N Robertson Blvd 交ビバリー・センターから徒歩13分 ☎310-652-0064 営10:30～19:00(12:00～17:00) 休無休 ©V、M、A URL www.hlorenzo.com

シューズ類も充実

ラム皮の皮ジャン。ヘリは断ちっぱなしになっている$1265

手作りのワンピース。素材はコットン50%、シルク50% $735

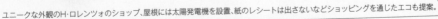

ユニークな外観のH・ロレンツォのショップ、屋根には太陽発電機を設置、紙のレシートは出さないなどショッピングを通じたエコも提案。

優雅でゴージャスなビバリーヒルズでプリティウーマンを気どります

リッチな人々が住むビバリーヒルズ、その中心部にあるLA随一の高級ショッピングゾーン、ロデオ・ドライブには一流ブランド店が集まります。華やかでおしゃれなこの街を歩いてみましょう。

1 プラネット・ブルー Planet Blue

ブランド数は100以上

大人気のセレクトショップ、プラネット・ブルーのビバリーヒルズ店。かわいいカジュアルウェアやファッション雑貨ならここをチェック。

MAP P.22/別冊P.13 B-3

→P.36

とにかく広い店内。きれいなオレンジ色が印象的なサンドレス$187

写真を撮るならトゥー・ロデオがおすすめ

1ヨーロッパの街並みを彷彿させるトゥー・ロデオ
2映画「プリティウーマン」で有名な超高級ホテル、ビバリー・ウィルシャー・フォーシーズンズ

2 バレリー・ビバリーヒルズ Valerie Beverly Hills

ブラシなど化粧小物が充実

ニコール・キッドマンなど、多くの女優たちを手掛けるメイクアップ・アーティスト、バレリーのショップ。ブラシなど化粧小物やオリジナルコスメを扱う。

MAP P.22/別冊P.13 B-3

所460 N Canon Dr　交トゥー・ロデオから徒歩10分
☎310-274-7348　営10:00～18:00　休日曜
C V、M、A　URL www.valeriebeverlyhills.com

エレガントな店内(上)。コスメはなじみの良さと発色のきれいさが魅力

Beverly Hills

ぐるっと回って——90分

ビバリーヒルズへのAccess

ハリウッドからメトロバス212番に乗り、Wilshire Blvd & La Breaでメトロ・ラピット720番に乗り換え。サンタモニカからメトロ・ラピット720番を利用し、Wilshire Blvd & Beverly Drで下車します。

有名スターのお宅拝見ツアーもあります

有名人の家を巡るムービースターズ・ホームズ・ツアーでは、ビバリーヒルズにあるスターたちの豪邸が見られます。宿泊ホテルによってはピックアップサービスもあり。

MAP 別冊P.6 E-1 URL www.starlinetours.com

3世界中の一流ショップが集結するロデオドライブ 4トゥー・ロデオのおしゃれカフェ 5美しい街路樹が印象的な街並み 6街を走るオープンカーも絵になる

ラグジュアリーな街の雰囲気が味わえます

セルフィッシュ
Selfish

気さくなオーナーが迎えてくれえる

ビバリーヒルズの中では庶民的な雰囲気のショップ。店内には、ところ狭しと服やファッション雑貨、アクセサリーがぎっしり、リーズナブルな値段もうれしい。

MAP P.22/別冊P.13 B-3

所442 N Canon Dr 交トゥー・ロデオから徒歩10分 ☎310-273-1662 営10:30～18:30(日曜12:30～16:30) 休無休 CV、M、A

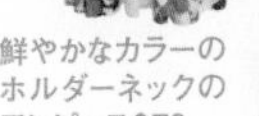

鮮やかなカラーのホルダーネックのワンピース$79

クラシックなベア・トップのワンピース$339

クーパ・カフェ
Coupa Café

歩き疲れたらひと休み

ビバリーヒルズを含め、カリフォルニア州内に6店舗を展開するベネズエラン・カフェ。散歩の休憩にぜひ自慢のコーヒーを。

MAP P.22/別冊P.13 B-3

➡P.53

トゥー・ロデオ
Two Rodeo

美しい屋外型ミニモール

ティファニー、ベルサーチ、ジミー・チュウなどの、高級店やレストランが軒を連ねるミニモール。

MAP P.22/別冊P.13 C-4

所9480 Dayton Way ☎310-247-7040
営10:00～18:00(日曜11:00～17:00)、店舗により異なる

ラグジュアリーにお茶をするなら、ビバリー・ウィルシャー・フォーシーズンズ内のレストラン、ブールバードがおすすめ。MAP P.22/別冊P.13 C-4

朝から夜まで遊べる活気ある サンタモニカは楽しさいっぱい

ぐるっと回って 120分

サンタモニカへのAccess
ビバリーヒルズからメトロ・ラピッド720番でWilshire Blvd & 4th St下車。または704番でSanta Monica Blvd & 2nd St下車。

街にはおしゃれなカフェやショップがあってダイニングに、ショッピングに1日楽しめます。サンタモニカ・ピアにはシーフードレストランや遊園地があり、休日には地元の人にも人気の観光スポット。

テン・ウィメン
Ten Women

キュートな小物がいっぱい

10人の地元女性アーテイストが集まり立ち上げたショップ。布製品、バッグ、ジュエリーなど女性好みのグッズがたくさん。

店内には多くの個性的なグッズが。手作りの1点物も

MAP 別冊P.10 B-3

所2651 Main St 交サンタモニカ・プレイスから車で5分 ☎310-314-9152 営火・木曜11:00～18:00（日・月曜12:00～17:00、水曜～16:00、金・土曜10:00～19:00） 休無休
C V、M、A URL www.tenwomen.org

おさんぽするのに楽しい街だよ

1 ビーチに突き出ている木造のサンタモニカのピア。週末には観光客と地元の人でとてもにぎわう
2 ストリートを走るふたり乗りの自転車タクシー

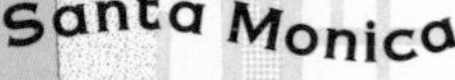

スー・ラ・テーブル
Sur La Table

キッチン用品はここで

カラフルでかわいくて、ちょっと気のきいたキッチン用品が並ぶ。手頃な値段でかさばらないグッズも多いので、おみやげ探しにもぴったり。

MAP P.24/別冊P.11 A-2

所301 Wilshire Blvd 交サンタモニカ・プレイスから徒歩10分 ☎310-395-0390 営10:00～21:00（日曜11:00～19:00） 休無休
C V、M、A、J URL www.surlatable.com

おみやげにぴったり

1 店内には、さまざまなカラーのユニークな商品がいっぱい。 2 ピンクのソフトクリーム型のキッチンタイマー

サード・ストリート・プロムナード

ショッピングモールのサンタモニカ・プレイスから、3ブロックに渡って南西に伸びるサード・ストリート・プロムナードは、LAでは数少ない夜まで安心して遊べるところ。大道芸人などもいて毎日がお祭りのようです。

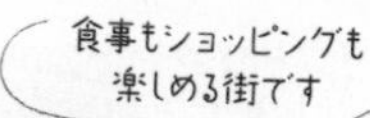

3 毎週水・土曜日にはファーマーズマーケットも開催 ➡P.48
4 撮影ポイントのひとつ、サンタモニカ・ピアのゲートはサンタモニカのシンボル　5 ピアの先端には大人も子どもも楽しめる遊園地がある

5 バーガーラウンジ
Burger Lounge

高級感のあるパテがおいしい

南カリフォルニアで人気急上昇の店。牧草だけで育てた牛肉を使い、丁寧に手作りされたパテは脂身が少なく、あっさりとヘルシー。

MAP P.24/別冊P.11 A-2

所 213 Arizona Ave　交 サンタモニカ・プレイスから徒歩8分　☎ 424-238-8950
営 10:30～22:00（金・土曜～22:30、日曜～21:00）　休 無休
URL www.burgerlounge.com

安心安全のグルメバーガー

3 サンタモニカ・ピア
Santa Monica Pier

地元に愛される木造のピア

100年以上の歴史を持ち、地元の歴史とともに歩んできた桟橋。パフォーマーやおみやげ店や飲食店が立ち並ぶ一大観光スポット。

MAP P.24/別冊P.11 C-3

所 200 Santa Monica Pier　交 サンタモニカ・プレイスから徒歩7分
☎ 310-458-8901
URL santamonicapier.org

4 マドラ
Mudra

お手頃価格がうれしいお店

小さなショップだが、旬のローカルデザイナーの服や、ハンドメイドアクセサリーの品揃えには定評が。価格がお手頃なのもうれしい。

MAP P.24/別冊P.11 B-2

所 1400 Third St Promenade　交 サンタモニカ・プレイスから徒歩3分　☎ 310-576-7972
営 11:00 ～ 19:00(金・土曜～21:00)　休 無休
C V、M、A、J　URL www.shopmudra.com

チープシックなアイテムが人気。スカート、タンクトップが$25～

ピアで一番古い建物、ヒッポドロームの中にある美しいメリーゴーランドは1922年に製造されたもの。いまも現役で動いています。

エンターテインメントにあふれるハリウッドは見どころもいっぱいです

街中が観光スポットのハリウッド、見どころは
東西にのびるハリウッド・ブールバード沿いに点在します。
おさんぽしながらエンタメシティの本場の雰囲気を楽しんで。

1 ハリウッド&ハイランド
Hollywood & Highland

ハリウッド観光はここを起点に

ショッピングモール、レストラン、ホテルやTCLチャイニーズ・シアター、ドルビー・シアターなどを擁する巨大複合施設。中には観光案内所もある。

MAP P.26/別冊P.6 E-1

所6801 Hollywood Blvd 交メトロ・レッドライン Hollywood/Highland駅 からすぐ ☎323-467-6412 営店舗により異なる 休無休 URL www.hollywoodandhighland.com

1

2

面白いオブジェもいっぱい

★TCLチャイニーズ・シアター
TCL Chinese Theatres

ランドマークの建物

中国寺院風の建物の映画館。前庭に埋め込まれたスターの手形・足型のタイルが有名。

☎323-461-3331
URL www.tclchinesetheatres.com

★ドルビー・シアター
Dolby Theatre

ゴージャスな劇場

アカデミー賞授賞式の会場として有名。劇場内の見学ツアーではスターたちの使うバーや化粧室も見られる。

☎323-308-6300 営ガイド付きツアー 10:30 ～ 16:00、30分ごとに出発（シアターでのイベントにより催行されない日もある） 休無休 料 $17 URL www.dolbytheatre.com

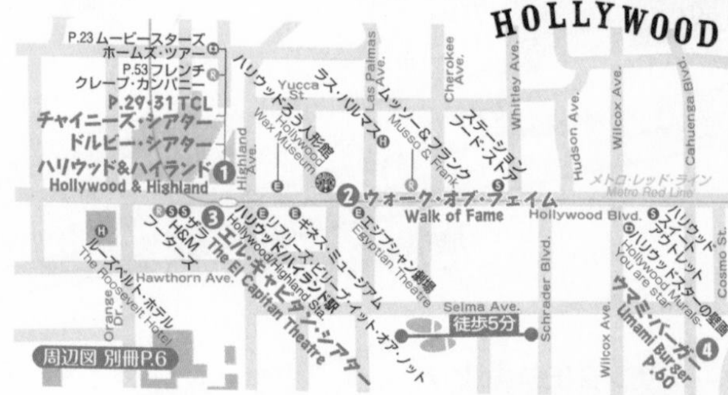

2 ウォーク・オブ・フェイム
Walk of Fame

あのスターのプレートはどこ

さまざまなエンターテインメントの分野で活躍した人の名前が刻まれた、ウォーク・オブ・フェイム。総数は2000枚以上、5km以上にわたる。

MAP P.26/別冊P.6 F-1

所Hollywood BlvdのGower StとArgyle Aveの間

ぐるっと回って――120分

ハリウッドへのAccess

メトロ・レッドラインHollywood & Highland駅で下車。サンタモニカ、ビバリーヒルズからメトロ・ラピッド704番に乗り、Fairfax Ave & Santa Monica Blvdでメトロバス217番かメトロ・ラピッド780番に乗り換え。

パイプオルガンがある映画館

エル・キャプタンシアターは館内にパイプオルガンがあり、映画の上映前に演奏をすることもあります。このパイプオルガンは、1920年代に作られた劇場用オルガンの最高峰でデザインも秀逸。一見の価値があります。

1映画・イントレランスのセットを再現したハリウッド＆ハイランドの中庭 2パフォーマーがいっぱい 3有名なハリウッドサイン。撮影はハリウッド＆ハイランドのバビロンコートが◎ 4名所のひとつ、ハリウッドスターの壁画 MAP P.26

3 エル・キャピタン・シアター
The El Capitan Theatre

ディズニーの直営映画館

ディズニー映画の初演封切映画館。上映前にディズニーの名曲のオルガン演奏や、ディズニーキャラクターのショーが行われたりする。

MAP P.26/別冊P.6 E-1

所6838 Hollywood Blvd 交ハリウッド＆ハイランドの向かい ☎818-845-3110 営10:00～19:00（最終開演、作品によって異なる） 休無休 料 $15 URL www.elcapitan.go.com

4 ウマミ・バーガー
Umami Burger

バンズも おいしいよ

店舗ごとのオリジナルも

良質の食材でハウスメイドのグルメバーガーを提供。店舗ごとに開発された、その店でしか食べられないオリジナルのメニューも人気。

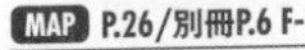

MAP P.26/別冊P.6 F-1

➡P.60

LAならではツアーもあります

スタジオツアー

ソニー・ピクチャーズ・スタジオ・ツアー
Sony Pictures Studios Tour

歴代の映画作品で使われたセットが並ぶほか、テレビスタジオも公開。歩いて見学することもあり、撮影現場に遭遇するチャンスも。

MAP 別冊P.5 B-3　カルバー・シティ

所10202 W Washington Blvd 交トゥー・ロデオから車で11分 ☎310-244-8687 開9:30、10:30、13:30、14:30（所要2時間） 休土・日曜 料 $40 URL www.sonypicturesstudiostours.com

ワーナー・ブラザーズVIPスタジオツアー
Warner Brothers VIP Studio Tour

人気のスタジオツアー。トラムに乗って撮影現場をめぐる。大道具・小道具の展示や、ハリーポッターの撮影に使われた衣装も見られる。

MAP 別冊P.5 C-1　バーバンク

所3400 Riverside Dr 交メトロ・レッドラインUniversal City/Studio City駅から車で4分 ☎818-972-8687 開9:00～15:00、30分ごとに出発（所要2時間15分） 休日曜 料 $62（所要5時間のデラックスツアーは$295） URL vipstudiotour.warnerbros.com

マイケル追悼ツアー

マイケル・ジャクソン縁の地ツアー
Michael Jackson Memorial Tour

ミュージック・ビデオのロケ地から生前、住んでいた家、お墓まで、ゆかりの場所を10時間又は12時間かけて回る。日本語のツアー。

☎213-680-2899（ローカルジャパン） 料$220～ URL www.localjapanla.com

ハリウッド＆ハイランドの前には有名人に扮したパフォーマーがいっぱい。写真を一緒に撮ったらチップを忘れずに。

LA定番の観光スポットめぐりは ホップオンホップオフが便利です

サンタモニカ、ハリウッド、ビバリーヒルズ、ダウンタウンと
LAは見どころが散らばっています。ホップオンホップオフは効率よく
観光地をめぐるのに便利なバス。バスルートと主なスポットを紹介します。

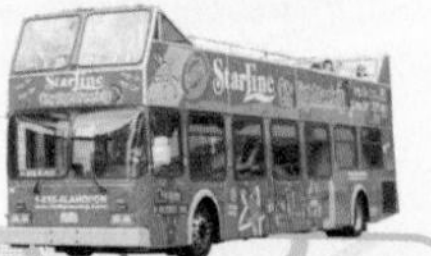

ホップオンホップオフのここがお得
❶料金一律乗り降り自由
❷いろいろな施設が割引に
❸日本語の音声案内も

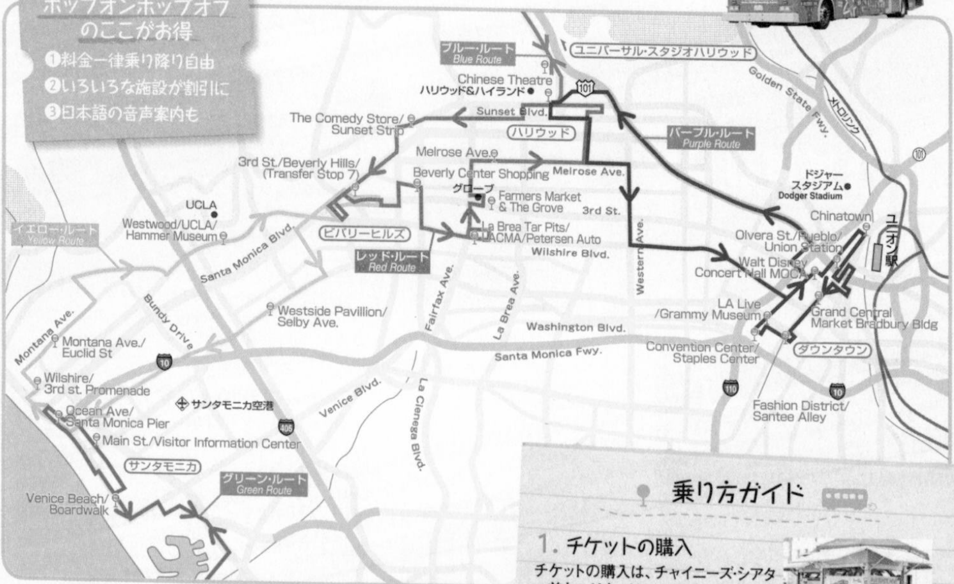

ブルー・ルート Blue Route
ユニバーサル・スタジオハリウッド
Chinese Theatre
ハリウッド&ハイランド
Golden State Fwy.
メトロリンク
Sunset Blvd.
The Comedy Store/ Sunset Strip
ハリウッド
パープル・ルート Purple Route
Melrose Ave.
3rd St./Beverly Hills/ (Transfer Stop 7)
Beverly Center Shopping
Melrose Ave.
ドジャースタジアム Dodger Stadium
グローブ
Farmers Market & The Grove
3rd St.
UCLA
Chinatown
ユニオン駅
Westwood/UCLA/ Hammer Museum
La Brea Tar Pits/ LACMA/Petersen Auto
Olvera St./Pueblo/ Union Station
イエロー・ルート Yellow Route
Santa Monica Blvd.
ビバリーヒルズ
Wilshire Blvd.
Western Ave.
レッド・ルート Red Route
Walt Disney Concert Hall MOCA
Fairfax Ave.
La Brea Ave.
Bundy Drive
Westside Pavillion/ Selby Ave.
LA Live /Grammy Museum
Grand Central Market Bradbury Bldg
Montana Ave.
Washington Blvd.
Montana Ave./ Euclid St
Convention Center/ Staples Center
Santa Monica Fwy.
ダウンタウン
Wilshire/ 3rd st. Promenade
Venice Blvd.
La Cienega Blvd.
サンタモニカ空港
Fashion District/ Santee Alley
Ocean Ave/ Santa Monica Pier
Main St./Visitor Information Center
サンタモニカ
グリーン・ルート Green Route
Venice Beach/ Boardwalk

ホップオンホップオフ・シティ・ツアー
Hop-On Hop-Off City Tour

ルート図を手に入れましょう

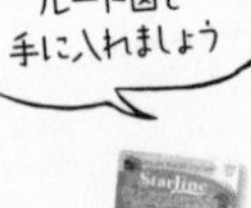

有名観光スポットを巡回します

LAの有名観光地は、広域に散らばっている。レンタカー以外で観光地を回るのにおすすめなのが、ホップオンホップオフ。主な見どころを網羅する5つのルートと、マリナ・デル・レイと空港間を結ぶルートがある。

☎323-580-6155 料 有効時間24時間$44、48時間$59、72時間$74、すべてのルート共通で使用可
Ⓒ V、M、A、J URL www.citysightseeingla.com

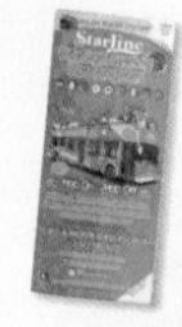

ルート図はチケット売り場や観光案内所などで手に入る

乗り方ガイド

1. チケットの購入

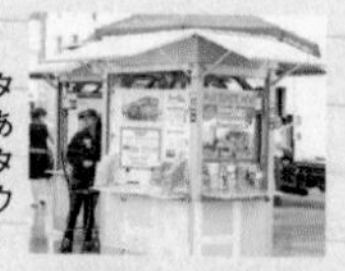

チケットの購入は、チャイニーズ・シアター前とハリウッド&ハイランドの前にあるブース、サンタモニカピアなどのスターラインツアーのチケットオフィスで。ウェブからも購入可能。

2. バスに乗る

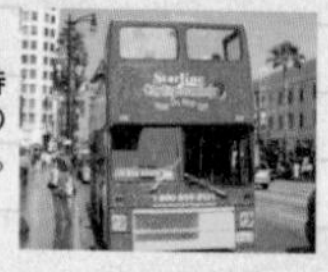

チケットをドライバーに渡すと利用時刻を刻印してくれる。乗ったらバス内の階段を上って見晴らしの良い2階席へ。マナーを守り安全で快適な観光を。

3. 乗車・下車は？

StarLine
CitySightseeing
Santa Monica
57

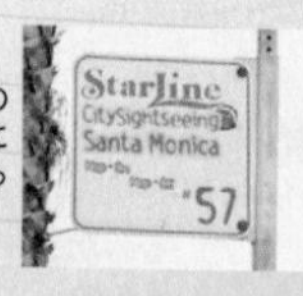

バスは下車する人がいなくても全ての停留所に停車する。目的の観光地に着いたら、バスを降りる。観光が終わったら降りた場所に戻り、バスを待つ。

Red Route

ハリウッド ▶ ビバリーヒルズ

レッド・ルート

ショッピング好きは大満足

ハリウッド&ハイランド、ビバリー・センター、グローブなど人気の3大モールをカバー。ロデオ・ドライブやメルローズにも立ち寄るので、ショッピング好きにはうれしいルート。

始発 Chinese Theatre 9:00（9:10発のみ3rd St /Beverly Hillsが始発） 運行時間 9:00～21:00（終着） 運転間隔 20～30分1周2時間

1 TCLチャイニーズ・シアター

TCL CHINESE THEATRES

TLCチャイニーズ・シアター

ハリウッドのシンボル、中国風のたてもので有名なTCLチャイニーズ・シアターから出発

MAP P.26/別冊P.6 E-1

ここも行きたい

★ハリウッド&ハイランド
★ウォーク・オブ・フェイム

4 サンセットストリップ

THE COMEDY STORE/ SUNSET STRIP

有名ライブハウス、バーが集まる、LA屈指の夜遊びスポット

MAP 別冊P.6 D-2

サンセットストリップ

ここも行きたい

★サンセット・プラザ
★ハウス・オブ・ブルース

7 サード・ストリート/ビバリーヒルズ

3RD ST/BEVERLY HILLS

レッド・ルートとイエロー・ルートの乗り換え地点。バスが停車しているのが目印

MAP 別冊P.7 B-3 ➔P.22

ビバリー・ウィルシャー・フォーシーズンズ

ここも行きたい

★ロデオ・ドライブ
★ビバリーヒルズ市庁舎

9 ビバリー・センター

BEVERLY CENTER-SHOPPING

2つのデパートと高級ブランドショップなど約160店舗が入る

MAP 別冊P.9 C-2

ビバリーセンター

ここも行きたい

★ロバートソン・ストリート
★ビバリー・コネクション

11 ファーマーズ・マーケット&グローブ

FARMERS MARKET AND THE GROVE

LAの老舗のファーマーズ・マーケットと、中にあるフードコートでは国際色豊かな食事が楽しめる

MAP 別冊P.8 E-3

ファーマーズ・マーケット

ここも行きたい

★グローブ
★ビバリー・ブールバード

グローブ

レッドルート

Start

Bus Stop

1 TCL CHINESE THEATRE
Purple RouteとBlue Routeの乗り換え地点
② GUITER CENTER, “ROCKWALK”
③ CHATEAU MARMONT
④ THE COMEDY STORE/SUNSET STRIP
⑤ LONDON HOTEL/WHISKY A GO GO
⑥ SANTA MONICA BLVD/Millions of Milkshakers
7 3RD ST/BEVERLY HILLS
Yellow Routeとの乗り換え地点。日曜日のみRexford DR/Beverly Hillsにバス停の場所が変更に
⑧ FOUR SEASONS HOTEL, BH
⑨ BEVERLY CENTER-SHOPPING
⑩ LA BREA TAR PITS/LACMA/PETERSEN AUTO
⑪ FARMERS MARKET AND THE GROVE
⑫ MELROSE AVE SHOPPING
⑬ PINK'S HOT DOGS
⑭ VINE ST/PARAMOUNT STUDIOS
⑮ HOLLYWOOD AND VINE/PANTAGES THEATRE
1 TCL CHINESE THEATRE

Goal

Blue Route

チャイニーズ・シアター ▶ ユニバーサルスタジオ

ブルー・ルート

ダイレクト運行で便利

チャイニーズ・シアターからユニバーサル・スタジオ・ハリウッドまでノンストップ。

始発 Universal Studios /Citywalk9:00 運行時間 9:00～18:00（終着）、ユニバーサル・スタジオが17:00以降まで営業している場合は18:30終着 運転間隔 1時間（12:00～13:30のみ1時間30分）

ユニバーサル・スタジオ・ハリウッド

UNIVERSAL STUDIOS HOLLYWOOD

日本にもあるけれど、本場は一味違う。本物の映画セットを回るツアーが人気

MAP 別冊P.5 C-1

ユニバーサル・シティウォーク

ユニバーサル・スタジオ・ハリウッド

ホップオンホップオフのチケットを持っていると、スターラインの豪邸巡りツアーやユニバーサル・スタジオなどが割引になります。

LA定番の観光スポットめぐりはホップオンホップオフが便利です

Yellow Route

ビバリーヒルズ ▶ サンタモニカ

イエロー・ルート

ローカルにも人気のスポット

旅行者に人気のサンタモニカのメイン・ストリートや、ローカル色の強いモンタナ・アベニュー、ブレントウッドなどおしゃれで洗練されたエリアをぐるりと回るルート。

始発 3rd St/Beverly Hills 10:00（9:30と10:10発のみがOcean Ave/Santa Monica Pier始発）
運行時間 10:00～20:40（終着はWilshire/3rd St Promenade） 運転間隔 30～40分 1周2時間

Bus Stop イエロールート

Start

- 7 3RD ST/BEVERLY HILLS
  Yellow Routeとの乗り換え地点。日曜日のみRexford DR/Beverly Hillsにバス停の場所が変更に
- 51 THE BEVERLY HILTON-SANTA MONICA BLVD
- 52 HYATT CENTURY CITY/ANNENBURG MUSEUM
- 53 INTERCONTINENTAL CENTURY CITY
- 54 WESTSIDE PAVILION/SELBY AVE
- 55 SANTA MONICA COLLEGE/17TH ST
- 57 OCEAN AVE/SANTA MONICA PIER
  Green Routeとの乗り換え地点
- 59 WILSHIRE/3RD ST PROMENADE
- 60 MONTANA AVE/EUCLID ST
- 61 BRENTWOOD COUNTRY MART
- 62 BRENTWOOD N.SAN VICENTE BARRINGTON
- 63 WESTWOOD/UCLA/HAMMER MUSEUM
- 64 THE BEVERLY HILTON-WILSHIRE BLVD
- 7 3RD ST/BEVERLY HILLS

Goal

7 サード・ストリート/ビバリーヒルズ
3RD ST/BEVERLY HILLS

乗り換え地点

バスの乗り換え地点。日曜日はバス停が移動になるので要注意。またバス停のサインも特にない

MAP 別冊P.7 B-3 ➡P.22

ここも行きたい
- ★ビバリー・ウィルシャー・フォーシーズンズ

57 サンタモニカ・ピア
OCEAN AVE/SANTA MONICA PIER

サンタモニカ・プレイス

サンタモニカ・ピア

サンタモニカ観光のハイライト、サンタモニカの海。貸し自転車もあるのでビーチ沿いに走るのもたのしい

MAP P.24/別冊P.11 C-3 ➡P.25

ここも行きたい
- ★サンタモニカ・プレイス
- ★3rd stプロムナード
- ★サンタモニカピアの遊園地

63 ウエストウッド/UCLA
WESTWOOD/UCLA/HAMMER MUSEUM

カリフォルニア州の名門州立大学。広大な敷地と美しい建物は必見。大学内はシャトルバスが走っている

MAP 別冊P.5 A-2

ここも行きたい
- ★ウエストウッド・ビレッジ
- ★UCLAオフィシャルストア

UCLA

Green Route

サンタモニカ ▶ マリナ・デル・レイ

グリーン・ルート

ビーチに行くならこのルート

グリーン・ルートはおしゃれな注目エリア、ベニス・ビーチやアボット・キーニーなど、ビーチシティを回るのに便利なルート。

始発 Fisherman's Village Marina Del Rey 9:30（9:38発のみOcean Ave/Sant a Monica Pier始発）
運行時間 9:30～18:40（終着）
運転間隔 30～40分 1周1時間10分

76/84 ベニス・ビーチ
VENICE BEACH/BOADWALK

筋トレをする人、露店や大道芸人など、お祭りのような賑わいを見せるベニス・ビーチ

MAP 別冊P.10 A-3

ここも行きたい
- ★アボット・キーニー
- ★ボード・ウォーク

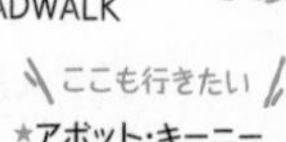

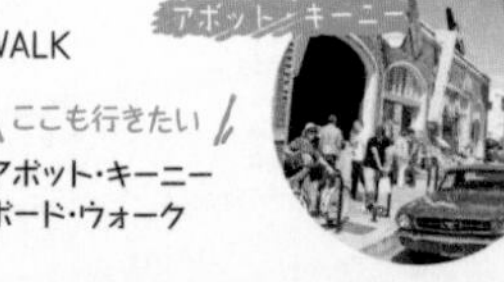

アボット・キーニー

78 メイン・ストリート
MAIN ST/VISITER INFORMATION CENTER

ブティックや雑貨店、オーガニックカフェなど、個性的で洗練された店が多い

MAP 別冊P.11 D-2

ここも行きたい
- ★オーシャン・フロント・ウォーク

メイン・ストリート

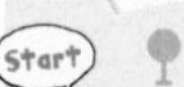

Bus Stop グリーンルート

Start

- 71 FISHERMAN'S VILLAGE, MARINA DEL REY
- 75 VENICE PIER/VENICE CANALS
- 76/84 VENICE BEACH/BOADWALK
  76は往路、84は復路
- 77 VISITER INFORMATION CENTER
- 80 DOWNTOWN/ SANTA MONICA PLACE
- 81 OCEAN AVE/SANTA MONICA PIER
  Yellow Routeとの乗り換え地点。
- 71 FISHERMAN'S VILLAGE, MARINA DEL REY

Goal

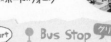

Purple Route

ハリウッド▶ダウンタウン

パープル・ルート

注目されている古くて新しいエリア

パープル・ルートはダウンタウンを中心に回るコース。LAの歴史を感じるオルベラ・ストリートやユニオン・ステーション、再開発地区に建てられたLAライブまで見どころをカバー。

始発 Chinese Theatre 9:30（9:10発のみOlvera St/Pueblo/Union Stationが始発） 運行時間 9:30～18:00（Engine Co.#28/7th ST帰着は20:25まで）
運転間隔 1時間30分 1周2時間30分

1 TCLチャイニーズ・シアター
TCL CHINESE THEATRES

中庭に芸能人の手形・足形が埋め込んであることで有名なチャイニーズ・シアターから乗車

MAP P.26/別冊P.6 E-1

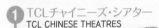

TLCチャイニーズ・シアター

ここも行きたい

➡P.29

33 ウォルト・ディズニー・コンサートホール/MOCA
WALT DISNEY CONCERT HALL/MOCA

ウォルト・ディズニー・コンサートホール

MOCA

現代建築の美しいホールと、近代美術が見どころのロサンゼルス近代美術館（MOCA）

MAP 別冊P.12 B-2

ここも行きたい

★ミュージック・センター
★天使のマリア聖堂

37 オルベラ・ストリート/ユニオン・ステーション
OLVERA ST/PUEBLO/UNION STATION

LA発祥の地オルベラ・ストリート、ユニオンステーション駅構内の豪華さは見る価値あり

MAP 別冊P.12 C-2

ここも行きたい

★オールド・プラザ・ファイヤーハウス・ミュージアム

ユニオン・ステーション

オルベラ・ストリート

39 グランド・セントラル・マーケット
GRAND CENTRAL MARKET/BRADBURY BLDG

庶民の台所、新鮮な食材を売るマーケット。テイクアウトの店もあるのでランチに便利

MAP 別冊P.12 B-3

ここも行きたい

★エンジェル・フライト
★ブラッドベリー・ビル

グランド・セントラル・マーケット

サンティ・アレイ

42 ファッションディストリクト/サンティ・アレイ
FASHION DISTRICT/SANTEE ALLEY

問屋街だが小売りをしている店も多い。靴やバッグ、アパレルが驚くほど安く手に入る

MAP 別冊P.12 B-4

ここも行きたい

★カリフォルニア・マーケット・センター

44 LAライブ/グラミー博物館
L.A. LIVE/GRAMMY MUSEUM

クラブやレストランなどが集まる複合施設。コンサートなどイベントが多いステイプルセンターも敷地内

MAP 別冊P.12 A-4

見どころたくさん

LAライブ

Bus Stop パープルルート

Start

1 TCL CHINESE THEATRE
31 ENGINE CO. #28/7th ST
32 WESTIN BONAVENTURE HOTEL
33 WALT DISNEY CONCERT HALL/MOCA
34 CIVIC CENTER/CATHEDRAL OF OUR LADY
35 CHINATOWN-CENTRAL PLAZA
36 CHINATOWN-SHOPPING MALLS
37 OLVERA ST/PUEBLO/UNION STATION
38 LITTLE TOKYO
39 GRAND CENTRAL MARKET/BRADBURY BLDG
40 CENTRAL LIBRARY/BILTMORE HOTEL
41 JEWELRY DISTRICT/ LOS ANGELES THEATRE
42 FASHION DISTRICT/SANTEE ALLEY
43 CONVENTION CENTER/STAPLES CENTER
44 L.A. LIVE/GRAMMY MUSEUM
31 ENGINE CO. #28/7th ST
32 WESTIN BONAVENTURE HOTEL
1 TCL CHINESE THEATRE

Goal

パープル・ルートは運転間隔が長く、なかなかバスが来ないこともあります。日暮れ後バス停で長時間待つのは危険、タクシーの利用を。

ファッションリーダーのセレブ御用達のセレクトショップは要チェックです

オーナーやバイヤーのセンスが光るセレクトショップ。ローカルデザイナーや、世界中から買い付けた最旬のファッションが揃っています。セレブたちが頻繁に通う話題のショップに行ってみましょう。

1色鮮やかで上質な皮のバッグや財布、iPadのケースも　2もともとは靴とジュエリーを扱う店だったサテーン。いまでも靴は厳選したものを揃える　3店内のインテリアもファンシー

かかとのデザインがユニークなバレンシアガの靴$745

どんな服でも合わせやすい、パンチ穴の模様のブーツ$586

目利きのオーナーが厳選する商品

サテーン Satine

扱うデザイナーは、アライア、バレンシアガなどのハイエンド系から、独立系のローカルデザイナー、自社レーベルまでと幅広い。バッグなどの小物類も充実している。アボット・キーニーにも支店がある。

MAP 別冊P.8 D-3　ミッド・ウィルシャー

所8134 W 3rd St　交グローブから徒歩13分
☎323-655-2142　営11:00～19:00（日曜12:00～18:00）　休無休　CV、M、A
URL www.satineboutique.com

こんなセレブが来ています

顧客にはモデルや芸能人も多い。キャメロン・ディアスやリース・ウィザースプーンなどがよく来る

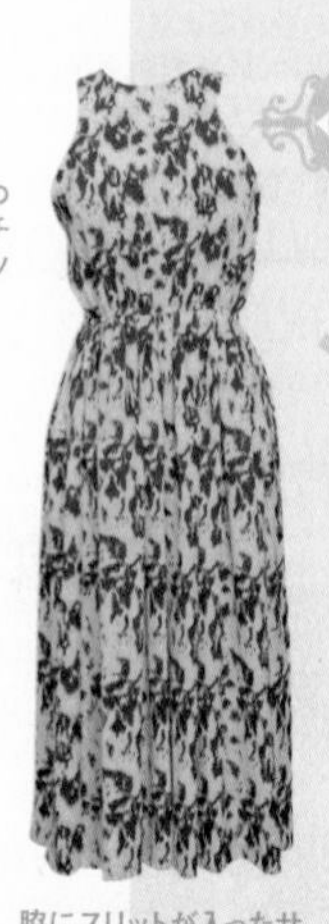

脇にスリットが入ったサテーンオリジナルドレス$995

シルク100%のサテーンのオリジナルドレス$850

植物をモチーフにしたイギリスのデザイナー・アーデムのドレス$2475

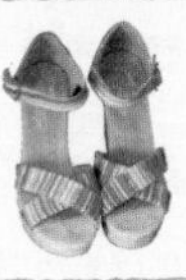

TOMS（トムズ）の靴

1足買うと1足の靴が世界の恵まれない子どもたちに贈られる、という活動をしているトムズ。カフェも併設された旗艦店がオープンした。

所1334 Abbot Kinney Blvd　MAP 別冊P.10 B-4

スタイリストご用達ショップ

ポルカドッツ&ムーンビームス

Polkadots & Moonbeams

有名無名に関わらず、本当にセンスがいいと思うデザイナーのドレスや靴、ジュエリーだけを厳選して買い付ける、というのがオーナーのポリシー。ファッションのプロたちが足げく通うショップ。

MAP 別冊P.9 C-3　ミッド・ウィルシャー

所8361 W 3rd St　交ビバリー・センターから徒歩5分
☎323-655-3880　営11:00～19:00（日曜～18:00）
休無休　C V、M、A
URL www.polkadotsandmoonbeams.com

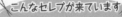

こんなセレブが来ています

ドリュー・バリモアやジュリア・ロバーツ、デミ・ムーアほか、多数のセレブがごひいきにしている

店内には鮮やかなドレスがいっぱい

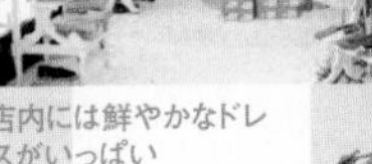

TOMSの靴は $42～。デザインの種類も豊富で、どれも履きやすい

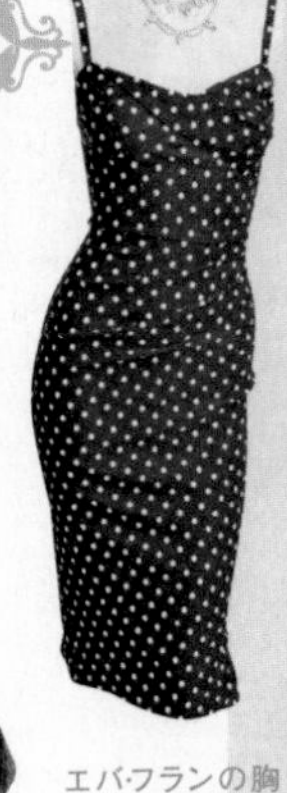

ラインが美しい、人気のフェミニンな水玉のスリップドレス$172

エバ・フランの胸元がセクシーなドレス$262（ベルト付）

ラクエル・アレグラのドレス。裾など断ちっぱなしがアクセント

同じくラクエル・アグレラのショートパンツ$320、赤のニット$315

ピンク色がかわいいリネンのストール$210

ジュエリーやバッグなどセンスの良い小物も

買い付け先は世界各国のデザイナー

ヘイスト **Heist**

オーナー自身が着てみたい、と思うアイテムのみを世界各地から仕入れている。LAベースのデザイナー・ラクエル・アレグラやフランスのイザベル・マランほか多数のブランドを扱っている。

MAP 別冊P.10 B-4　アボット・キーニー

所1100 Abbot Kinney Blvd
交サンタモニカ・プレイスから車で10分
☎310-450-6531
営11:00 ～ 19:00　休日曜
C V、M、A　URL www.shopheist.com

こんなセレブが来ています

来店するセレブはジュリア・ロバーツやロザリオ・ドーソン。ハイジ・クルムといったモデルも多い

セレブとの遭遇率が高いのはロバートソン・ブールバード、サード・ストリート周辺です。運が良かったら会えるかも。

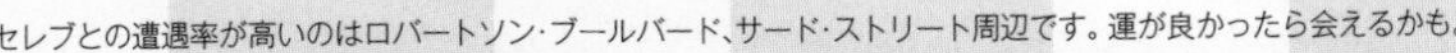

LA ファッション・マガジンのイチオシ いま注目のローカルデザイナーたち

LAのファッションシーンはほかの都市に負けず活発です。
ニューヨークに次いで、ファッション産業の盛んなLAのローカルデザイナーのなかで、
今もこれからも目が離せない4人をご紹介します。

Kelly Nishimoto ケリー・ニシモト

シンプルで洗練された中に女性らしいかわいらしさが

デザイナー

Profile
ケリー・ニシモト
宝石デザイナーの日系米国人の母を持つクォーター。LAメルセデス・ベンツ・ファッションウィーク2006春夏コレクションでデビュー。ダウンタウンにスタジオ兼ショップがある。

フェミニンで気軽に着られる服がデザインコンセプト。また洋服を着る人がトータルしてすてきに見えるよう、あえて過剰なデザインは避けている。顧客は10代から60代と幅広い。縫製はLA市内の工場3社と契約しており、LAメイドにこだわる。ドレス$125～$250。

ここで買えます

キュート・ブーティ・ラウンジ
Cute Booty Lounge
MAP 別冊P.12 B-4　ダウンタウン
所855 S San Pedro St
交メトロ・ラピッド720番で6th&San Pedro下車徒歩9分　営曜日により異なる
休不定休　C V、M、A、J
URL www.cutybootylounge.com

1ワイルドななかにもガーリィな要素が。素材にも着心地の良さを優先。
2ヒップラインがきれいに見えるデザインが特徴

イチオシのポイント
彼女のデザインする服は機能的でいてかわいくてセクシー。着心地の良さなど多様な世代からの支持も受けています。

Octavio Carlin オクタヴィオ・カーリン

デザイナー

Profile
オクタヴィオ・カーリン
ロサンゼルスのファッション・インスティテュート・アンド・マーチャンダイジングを卒業後、ディズニーなどの衣装デザイナーとして活躍。2006年自身のブランドをスタート。

デザインはグラマラスでエレガントがテーマ

イチオシのポイント
彼のデザインするドレスは、大胆かつクラシック、そしてセクシー。彼のファッション哲学は業界のみならず注目の的となっています。

イブニングやウエディングドレスのデザイナーとしても定評

デザインのベースに流れるのは、ハリウッド黄金時代1920～40年代の映画の衣装や、パーティのドレス。カジュアルラインもあり、着心地が良く機能的なドレスは、幅広い層の支持を集めている。

ここで買えます

オクタヴィオ・カーリン
Octavio Carlin
MAP 別冊P.9 C-2　ミッド・ウィルシャー
所309 N Kings Rd
交ビバリー・センターから徒歩5分
☎323-782-0883　営10:00～17:00
休日曜　C V、M、A
URL octaviocarlin.com

注目のファッション情報はLAFMで

『ロサンゼルス・ファッション・マガジン』（LAFM）は月刊のファッション誌で、主に南カリフォルニアのファッション・シーンとデザイナーの情報を発信しています。ニューヨークなど東海岸の読者も多いそう。

Eva Varro エバ・バロー ヨーロピアン風の優雅でエレガントなデザイン

デザイナー

Profile

エバ・バロー
ハンガリーのファッション学校を卒業後、ハンガリーとイタリアのデザイン会社で働き頭角を現す。2001年LAに拠点を移し、自身のブランドを立ち上げる。米国内外に店舗を展開。

ボディラインを強調する、流れるようにしなやかなデザイン。色使いなどは出身地でもあるヨーロッパの影響が強い。値段は$100～$200前後と手ごろ。

ここで買えます

エバ・バロー
Eva Varro

MAP P.24/別冊P.11 C-2 サンタモニカ

所395 Santa Monica Place# 144
交サンタモニカ・プレイス内
☎310-899-6969 営10:00～21:00(日曜11:00～20:00) 休無休 ⒸV、M、A
URL www.evavarro.com

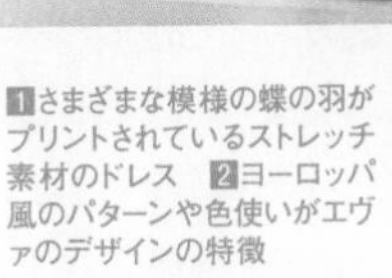

1 さまざまな模様の蝶の羽がプリントされているストレッチ素材のドレス 2 ヨーロッパ風のパターンや色使いがエヴァのデザインの特徴

イチオシのポイント

エレガントでハイセンス、さらに着心地の良さも抜群。コレクションのなかでもエキゾチックでクラシックなラインはおすすめです。

Lan Jaenicke ラン・ジーニック シンプルで洗練された大人のためのファッション

デザイナー

Profile

ラン・ジーニック
カシミアのコート、ジャケットの小さなコレクションを開催。評判となり2008年に自身のブランドを立ち上げる。洗練されたデザインで各国にクライアントを持つ。

紳士服を仕立てる際のテクニックを女性向けの服にも取り入れている。ジャケットやコートを得意とするデザイナーでカシミア素材、襟元が高いデザインが特徴。

ここで買えます

ソルト
Salt

MAP 別冊P.10 B-4 アボット・キーニー

所1114 Abbot Kinney Blvd 交サンタモニカ・プレイスから車で10分 ☎310-452-1154 営11:00～21:00（日・月曜12:00～17:00） 休無休 ⒸV、M、A
URL www.saltvenice.com/

マニッシュなデザインが多い

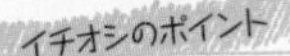

イチオシのポイント

上質なファブリックと、ミニマムなデザインが優雅さを醸し出しています。仕立てにもデザイナーの完璧主義が生かされています。

毎年3月と10月のロサンゼルス・ファッション・ウィークでは、LA内外のデザイナー 30人以上のファッションショーが開催されます。

納得プライスで洗練された カジュアルならこのショップへ

**リゾート向けから普段着、ちょっとしたお出かけ用まで
LAのカジュアルウェアは、きれいな色使いとかわいいデザインが魅力。
きっとお気に入りの1枚を見つけることができるはず。**

スカイはちょっぴりセクシーでフェミニンなドレスが揃う

気軽に着こなせるアイテムがたくさんあるわよ
1991

タンクトップ$59、レースの飾りのあるデニムパンツ$128

ワイルド・フォックスの白のTシャツ$105、リネンのパンツ$57

ノベラ・ロワイヤルのエスニック柄のサンドレス$165

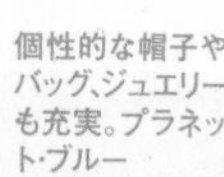

個性的な帽子やバッグ、ジュエリーも充実。プラネット・ブルー

豊富なセレクションでお気入りが探せそう

ナノ、スイートなら

プラネット・ブルー Planet Blue

南カリフォルニアスタイルを提案

リンジー・ローハンやハイジ・クルムなど、ファッショニスタのセレブに人気のショップ。扱うブランドは100を超える。おしゃれなカジュアルウェアが充実の品揃え。

MAP P.22/別冊P.13 B-3 ビバリーヒルズ

所409 N Beverly Dr 交トゥー・ロデオから徒歩5分
☎310-385-0557 営10:00～18:00 休無休 ©V、M、A
URL www.shopplanetblue.com

お得なビバリー・コネクション

ビバリー・コネクションにはノードストローム・ラックP.37を始め、マーシャルズやSaks Fifth Aveのアウトレット・オフ・フィフスなどお得にショッピングできるお店が勢ぞろい。 MAP 別冊P.9 C-2

個性派スタイルなら

胸元のデザインが印象的なセクシーなワンピース$264

ワンショルダーの長そでTシャツ。レザーの紐がアクセント$105

肩ひもとバックのデザインがユニークなワンピース$202

スカイ Sky

商品はすべてLAメイド

デザインから縫製まで全てLAで行っている、というLAメイドにこだわるショップ。カラフルな色使いがカリフォルニアらしいテイスト。特にトップスはカラーバリエーション豊富。

MAP P.20 ロバートソン

所120 S Robertson Blvd 交ビバリー・センターから徒歩8分
☎310-274-7929 営11:00～19:00(日曜12:00～18:00) 休無休
C V、M、A URL www.shopsky.com

オススメ！有名ブランドのファッションが格安で手に入る

スパンコールのパーティバッグはちょっぴりゴージャス

ストレッチ素材のワンピース

肌をきれいに見せるゴールドのサンダル

ノードストローム・ラック NORDSTROM rack

高級デパートのアウトレット。カジュアルからフォーマルまで幅広いラインナップ。高級ブランド品が格安で購入できる。

MAP 別冊P.9 C-2 ビバリーヒルズ

所100 N La Cienega Blvd
交ビバリー・センターから徒歩すぐ ☎323-602-0282
営10:00～21:30(日曜11:00～20:00) 休無休
C V、M、A URL www.nordstromrack.com

LAの女の子は明るい色で、ちょっとセクシーなデザインのファッションを好む傾向にあります。

スイートテイストからちょっぴりハードまで LAアーティストのアクセサリー見つけました

おしゃれ度アップの必須アイテムといえばなんといってもアクセサリー。天然石や半貴石、シルバーなどの素材を使いオリジナリティ豊かなジュエリーデザインで注目を集めているローカルデザイナーの5人です。

Chan Luu
チャン・ルー

ベトナム出身のジュエリーアーティスト。1996年にジュエリーのデザインを始めて以来、手作りで個性的なアクセサリーは多くの人を魅了している。またファッションのジャンルを選ばない使い勝手の良さも魅力。

URL www.chanluu.com

ネックレス、左から青メノウのペンダント・ヘッドと革紐のネックレス$135、グレイパール$170、メノウ$190

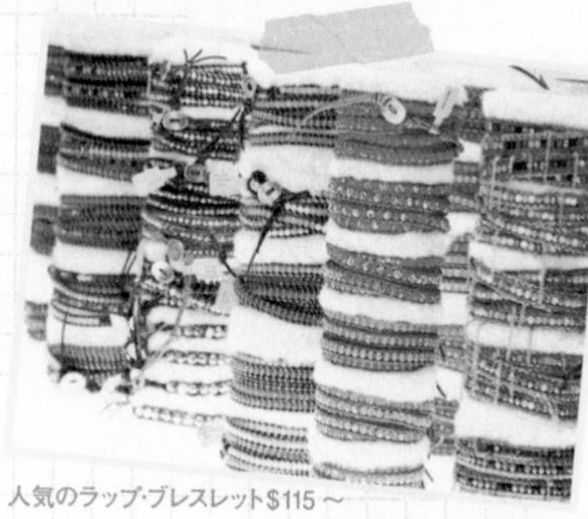

人気のラップ・ブレスレット$115～

天然石やパワーストーンの素材が人気

トルコ石とさまざまな半貴石を組み合わせたネックレス$345

繊細なデザインのマザー・オブ・パール(真珠母貝石)のピアス$85

羽があしらわれたスモーキー・クオーツのイヤリング$170

赤メノウのイヤリング$190

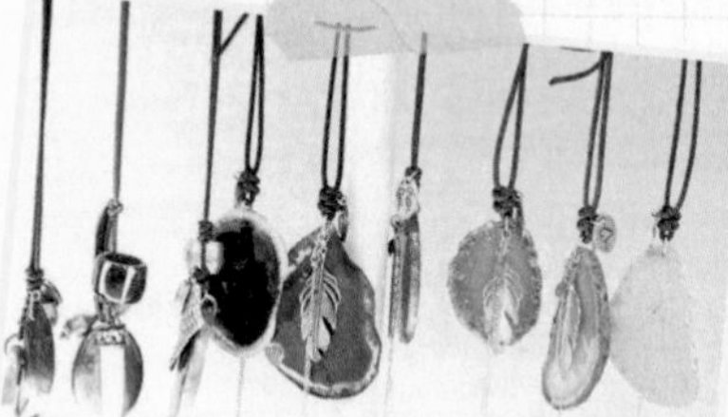

半貴石を使ったネックレスとイヤリング

ここで買えます

プリンシペッサ ベニス
Principessa Venice
ガーリッシュなセレクション
MAP 別冊P.10 B-4 アボット・キーニー
Principessavenis.com

プラネット・ブルー
Planet Blue
最旬セレクションが話題のショップ
➡P.36

ポルカドッツ&ムーンビームス
Polkadots & Moonbeams
キュート&セクシーなラインナップ
➡P.33

アン・ミッシェル Anne Michelle
元スタイリストがオーナー
MAP 別冊P.7 B-3 ビバリーヒルズ
URL www.shopannemichelle.com

ローカルデザイナーのジュエリー

パサデナにあるゴールド・バグP.39は、地元のジュエリーデザイナーの作品を積極的に扱っているセレクトショップです。他の店ではなかなか手に入らないデザイナーのアクセサリーも、揃えています。

ヴォーグやUSA版マリ・クレールも注目の新進デザイナー

Elizabeth Knight
エリザベス・ナイト

デザイナーはフィラデルフィア出身のエリザベス・トンプソン。自然や古来の工芸品をモチーフに独創的なコレクションを発表している。

URL www.elizabethknightjewelry.com

いぶし銀とアンティークゴールドプレートのイヤリング$198

ハンマーで素材を打ちだし作られたアンティーク風ネックレス$245

ここで買えます

ゴールド・バグ Gold Bug

地元アーティストの作品が揃う

MAP 別冊P.13 B-1　パサデナ

URL www.goldbugpasadena.com

伝説のDJが生み出す美しいジュエリー

Joseph Brooks
ジョセフ・ブルックス

LA音楽業界で名を馳せた元DJ&プロモーターが、2006年、ジュエリーデザイナーに転身。天然石のアクセサリーは有名人にも人気。

URL josephbrooksjewelry.com

ロックテイストのスカルが繋ぎ合わされたブレスレット$90

アリゾナ州産のトルコ石で作った花型がかわいいネックレス$360

男性的なデザインのアリゾナ産トルコ石のブレスレット$105

ここで買えます

ラクマストア
The LACMA Store

地元デザイナーグッズが豊富

MAP 別冊P.8 E-4　ミッド・ウィルシャー

URL www.lacma.org

ゴールド・バグ
Gold Bug

個性あるアクセサリーならココ

MAP 別冊P.13 B-1　パサデナ

URL www.goldbugpasadena.com

いまセレブが注目するデザイナーはこの2人

斬新でオリジナルなデザインと、ハンドメイドのレア感がセレブの感性にマッチ

14金のホワイトゴールドの蜘蛛の巣とダイヤモンドのネックレス$1540

J. Herwitt
ジェイ・ハーウィット

蜘蛛やアリ、蝶などの昆虫やタツノオトシゴ、サソリが題材。ユニークなジュエリーはアンジェリーナ・ジョリーやピンクなどセレブからの引き合いも。

URL www.jherwitt.com

繊細な細工が美しいスターリングシルバーのイヤリング$310

Michael Schmidt
マイケル・シュミット

クロムハーツの製品のデザインや、マドンナ、レディ・ガガなど多数のアーティストの衣装のデザインも手がける。ジュエリーは手作りでステンレスやスワロフスキーのクリスタルなどが素材。

URL www.michaelschmidtstudios.com

ジョセフ・ブルックスはDJ時代に、まだ無名だったガンズ・アンド・ローゼズに注目、彼らをメジャーデビューさせた立役者です。

肌にも疲れた心にもやさしい ナチュラルメイドの癒しアイテム

ナチュラル＆ハンドメイドのキーワードは女心をくすぐります。ハーブなど自然の素材から作られたソープは肌にやさしく、アロマキャンドルは心をリラックスさせて癒しを与えてくれます。

ソープ・キッチンのスクラブ入りソープ

ソープトピアの石けんは色がきれい

さまざまなキャンドルが並ぶキャンドル・デリリュウム店内

小さなキャンドルはおみやげにしてもよい

カラフルな石けんが並ぶソープトピアのラック

自然派志向のナチュラルソープ

Soaptopia

Soap

1個 約200g7種の日本未発売ソープもあり。1個$6.95、5個$32

さわやかなユーカリとティーツリーのバスソルト。小$2.95、大$6.99

Massage Candle

肌を滑らかにし、潤いをもたせると人気のボディケアグッズ$18

ソープトピア Soaptopia

ナチュラルメイドの美しい石けん

保存料など添加物を入れず、自然の素材だけで手作り。色はザクロ、花、サフラン、大麦など植物を使用。ソープの種類はなんと60種以上。

MAP 別冊P.5 B-3　ベニス

所12228 1/2 Venice Blvd
交サンタモニカ・プレイスから車で11分
☎310-398-8333　営10:00～18:00（土曜～17:00、日曜～15:00）　休無休
CV、M、A　URL www.soaptopia.com

手作り品はここでも

ファーマーズ・マーケットでも農産物や食品だけでなく、ハンドメイドのソープやキャンドルが売られていることがあります。そちらもチェックしてみて。

自然素材のみを使って手作り

The Soap Kitchen

自由にアイテムを組み合わせたギフトパッケージも作ってもらえる

お肌がすべすべになるナチュラルなスクラブ入りソープ

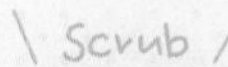

死海の塩やエッセンシャル・オイル、ハーブなどで作られたスクラブ

6種類の石けんを楽しむことができるセット。おみやげにも◎$20

ソープ・キッチン

The Soap Kitchen

ナチュラルな無添加石けん

すべての商品は、厳選されたハーブやエッセンシャルオイルなど自然の素材のみを使用。お店の奥にある工房で手作りされている。

MAP 別冊P.13 A-1 パサデナ

所25 N Fair Oaks Ave 交メトロ・ゴールドラインMemorial Park駅から徒歩8分
☎626-396-9996 営11:00～19:00(日・月曜12:00 ～ 17:00) 休無休 CV、M、A
URL www.thesoapkitchen.com

セレブも愛用するキャンドル専門店

Candle Delirium

キャンドル・デリリュウム

Candle Delirium

キャンドルを探すならココ

LA屈指の広さを誇るキャンドル専門店。欧米のキャンドル1000種以上を扱う。アンジェリーナ・ジョリーやレディ・ガガも顧客。

MAP 別冊P.6 D-2 ウエスト・ハリウッド

所7980 Santa Monica Blvd 交サンセット・ストリップのサンセット・プラザから車で3分
☎888-656-3903 営10:30 ～ 19:00(日曜12:00 ～ 18:00) 休無休 CV、M、A
URL www.candledelirium.com

カリフォルニアのメーカー、ボルスパのキャンドルはパッケージのかわいさに定評が

ここでしか買えないショップのオリジナルのキャンドルも

サンタバーバラベースのデザイナーのキャンドル。灯をともすと、キャンドルの周囲の紙に反映してステンドグラスのように見えるのが特徴

ソープトピアの石けんには「Vet it be (Let it be)」「Bub Marley(Bob Maley)」など音楽やミュージシャンをもじった名前がついています。

見ているだけでハッピーになっちゃう かわいい雑貨とステーショナリー

雑貨のお店とステーショナリー・ショップは何時間いても飽きることがありません。
海外ならではの色使いやデザインは心惹かれるものばかり。
ポップでかわいいグッズはここのお店でチェックです。

Cool!!

ワインのエチケットをあしらったチーズカッティングボード$29.95～ C

昔のTVで見たような美女たちがほほ笑むレトロな付箋各$4.30 B

ポップなデザインがおしゃれな、デイリープランナー各$15.50 A

なりたい自分になるための目標と夢をノートにリストアップ$16.95 B

個性的なグッズが溢れる店内。手作りアクセサリーもある

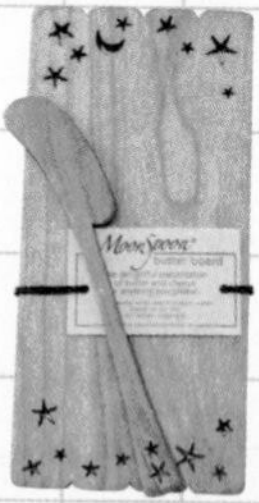

地元アーティストの手作り。月と星の模様がかわいい木製のバターボード C

お買い物リストのメモパッド。冷蔵庫に貼れるマグネットつき$10.95 B

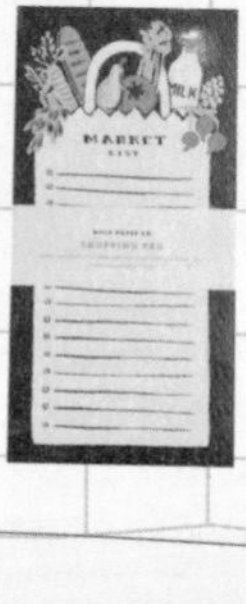

壁掛け型のボトルオープナーは、インテリア小物としてもOK $39.95～ C

気の利いた雑貨が探せるアーバニック・ペーパー・ブティック

贈り物の包装は自分で

アメリカではプレゼントの包装は自分で行います。文房具屋だけでなく、スーパーやドラッグストアなどでも種類豊富な包装紙が売られています。

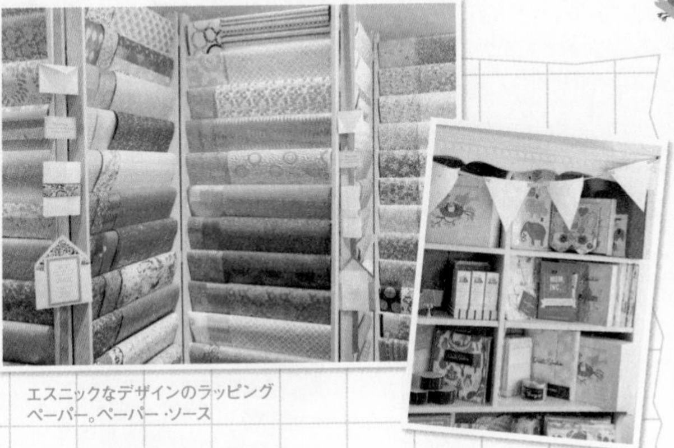

エスニックなデザインのラッピングペーパー。ペーパー・ソース

アルバムもカラフル。アーバニック・ペーパー・ブティック

Cute!!

C レトロな絵柄と色彩が、印象的なコースター

ソルト&ペッパー・ホルダー。フォークとスプーンの組み合わせが何ともユニーク

Funny!

C

お料理が楽しくなるレシピカード$12.95とレシピケース$17.95 A

A アーバニック・ペーパー・ブティック
Urbanic Paper Boutique

お店のディスプレイもキュート

型押しや手書きのカード、デザイン重視の紙製品など選び抜かれた品揃え。気の利いたおみやげ探しにもぴったりのお店。

MAP 別冊P.10 B-4　アボット・キーニー

所1644 Abbot Kinney Blvd
交サンタモニカ・プレイスから車で8分　☎310-401-0427
営10:00 ～ 19:00(日曜～ 18:00)　休無休　C V、M、A
URL www.urbanicpaper.com

B ペーパー・ソース
Paper Source

美しいラッピンググッズがいっぱい

和紙に出会ったオーナーが1983年シカゴに紙の専門店を開いたのが始まり。特にラッピングペーパーは手作りの良質なものが多数。

MAP P.24/別冊P.11 A-2　サンタモニカ

所309 Wilshire Blvd　交サンタモニカ・プレイスから徒歩10分　☎310-255-7988
営10:00 ～ 19:00(日曜11:00 ～ 18:00)　休無休
C V、M、A　URL www.paper-source.com

C マインドフルネスト
Mindfulnest

ローカルアーティストをサポート

インテリア、キッチン用品、ステーショナリーやアクセサリーなど、地元アーティストの作ったオシャレなグッズが揃う。

MAP 別冊P.10 B-3　サンタモニカ

所2711 Main St　交サンタモニカ・プレイスから車で6分
☎310-452-5409　営11:30～20:00(土曜11:00～20:30、日曜11:00～19:30)　休無休　C V、M、A
URL www.mindfulnestonmain.com/

誕生日やお礼などアメリカの人はカードを頻繁に送るので種類もデザインも豊富。手の込んだデザインのカードはため息ものです。

ロサンゼルスの街かどで出会った魅力的な女の子たち

明るくてフレンドリーなLAの女の子たち。
思い思いのファッションやライフスタイルを楽しんでいます。
そんな彼女たちの日常の一瞬をパチリ。

私のストレス解消はサード・ストリート・プロムナードでサルサを踊ることよ

in Santa Monica

メルローズのフリマにはよく来るわ。掘り出し物も結構あるのよ

in Melrose

in Melrose

どう?ウチのご主人、なかなかきまっているでしょ!

午後の予定をチェックしなきゃ

in Beverly Hills

in Melrose

今日はフリマでバイト中。将来はモデルになりたいの

Wow!みんなかわいくて目移りしちゃう

in Santa Monica

ここにいるおねえさんたちより、大人になった私のほうが絶対美人……

アボット・キーニーにはよくお買物に来ます。おすすめは、ヘイスト⇒P.33かな

in Abbot Kinney

おいしいロサンゼルス教えます

ＬＡって食通が多くてレストランの激戦地なんです。
名前の知れわたったシェフのお店や、
有名人たちが集まるおしゃれなレストランもたくさんあります。
もちろん気軽に入れるカフェやデリも。
最近では食材もローカル産やオーガニックにこだわるお店が増えて、
グルメシーンはますます充実しています。

LAのグルメシーンをリードするスターシェフのレストラン

**ロサンゼルスはレストラン激戦区。
シェフたちもお客を満足させる努力を怠りません。
そんな中で常に新しい食を追求するLAを代表する3人のシェフをご紹介します。**

カリフォルニアフレンチ
色鮮やかで目にもおいしい
1

オリーブオイルが利いています
2

3

シェフのオススメ
・フィレ肉とショートリブのステーキ $26
・チキンのラビオリ $14

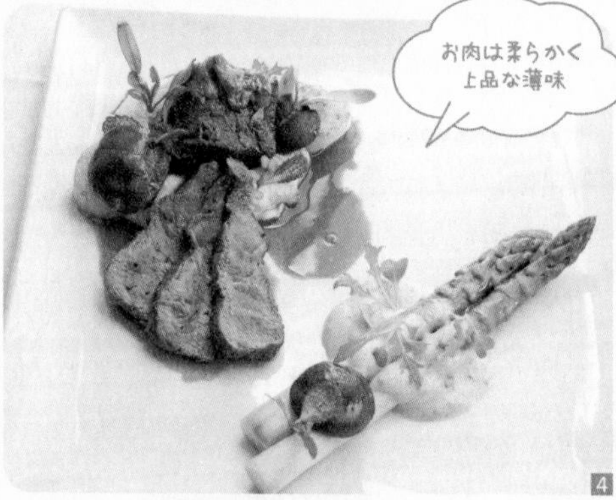
お肉は柔らかく上品な薄味
4

1 アボカド、チェリートマト、シュリンプとマコガレイのメインディッシュ
2 きゅうり、水菜、アジ、ホースラディッシュのランチコース前菜
3 柔かな日差しがさし込むパテオでランチを楽しむ地元の人
4 フィレ肉とショートリブのステーキにポテト、アスパラガスを添えたメインディッシュ

地元に愛されるレストラン

ジョーズ
Joe's Restaurant

本格的なフランス料理に、アジアとカリフォルニアのエッセンスを取り入れた、カリフォルニアフレンチを提供。シェフのミラーは、地元産の新鮮な旬の食材を積極的にメニューに取り入れ、日々、新たな料理を創作している。

MAP 別冊P.10 B-4 アボット・キーニー
所 1023 Abott Kinney Blvd 交 サンタモニカ・プレイスから車で10分 ☎ 310-399-5811 営 12:00～14:30（土・日曜11:00～）、18:00～22:00、（金・土曜～23:00）休 月曜 料 L$23～（コースのみ）、D$35～ C V、M、A
URL www.joesrestaurant.com

Chef's Profile

ジョセフ・ミラー
Joseph Millev

パティナ、ロランジェリーなどの一流店を経て独立。アボット・キーニーにジョーズをオープン。ザガット・サーベイではLAのトップテンシェフの一人として選出されている。

スターシェフによる社会貢献

ミラーは小学生を中心とした子どもたちに食育。ミリケンは子どもたちの飢餓をなくすキャンペーン。アンドレスはNPOを設立し、世界規模の飢餓をなくすキャンペーンに取り組んでいます。

モダンメキシカン

メキシコの代表的な肉料理

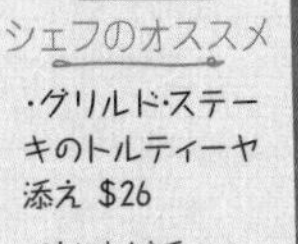

シェフのオススメ
・グリルド・ステーキのトルティーヤ添え $26
・パハセビチェ $12

1 牛バラ肉のステーキ、黒豆、コーン、ピクルスを自家製トルティーヤで巻いて食べるメキシコでは一般的な一品
2 ポップな壁画の店内

著書も出す有名女性シェフ

ボーダー・グリル・サンタモニカ
Border Grill Santa Monica

ミリケンは料理本の著作も多く、テレビ出演もこなす有名女性シェフ。正統なメキシコ料理とともに、ひとひねりを加えた独自の創作料理を作り出す。

MAP P.24/別冊P.11 B-1 ☎ サンタモニカ

所1445 4th St 交サンタモニカ・プレイスから徒歩3分 ☎310-451-1655 営11:30～22:00（土・日曜10:00～、金・土曜～23:00） 休無休 料L$21～、D$31～ C V、M、A URL www.bordergrill.com

Chef's Profile

メアリー・スー・ミリケン
Mary Sue Milliken

1970年代後半、シカゴの一流店で初めての女性シェフとして活躍、その後パリの女性シェフがいるミシュラン2つ星レストランで修業を行う。現在はモダンメキシカン料理界の第一人者。

オリジナルスパニッシュ

不思議な食感のモツァレラです

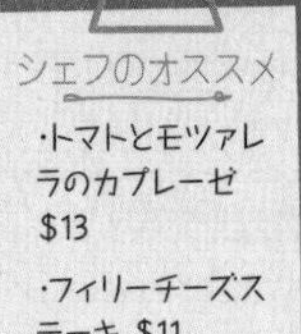

シェフのオススメ
・トマトとモツァレラのカプレーゼ $13
・フィリーチーズステーキ $11

1 モツァレラに特殊な処理をしたカプレーゼ、食感はイクラのよう
2 広い店内はコーナーごとに異なったインテリアが楽しめる

アメリカ版料理の鉄人にも登場

バザー・バイ・ホセ・アンドレス
The Bazaar by José Andrés

テレビ番組に出演したり料理の本を出版するなど幅広い活躍をするホセ・アンドレスのレストラン。ハモン・セラーノ、ガスパチョなどの前菜も豊富。先鋭的な創作料理も楽しめる。

MAP 別冊P.9 C-3 ☎ ビバリーヒルズ

所465 S La Cienega Blvd 交ビバリー・センターから徒歩6分 ☎310-246-5555 営17:30～24:30（木～土曜～翌1:30） 休無休 料$40～ C V、M、A URL www.thebazaar.com

Chef's Profile

ホセ・アンドレス
José Andrés

スペイン出身。料理学校を卒業後、世界的に有名なエルブリで修業を経て渡米、大きな成功を収める。タイム誌に最も影響力のある世界の人100人にも選ばれている。

有名店や人気のあるレストランは前日や当日では予約が取りにくいこともあります。早めの予約を心がけてください。

有名シェフもごひいきにする 人気のファーマーズ・マーケットへ

ファーマーズ・マーケットに並ぶ色とりどりの野菜やフルーツは
見ているだけでワクワクしてしまいます。
にぎやかなのはやっぱり朝、少し早起きして出かけてみましょう。

摘みたてのブラックベリー、ラズベリー、ブルーベリー

本場のカリフォルニアオレンジや、サクサクの食感のネクタリン

こんなもの発見！

食用サボテンは栄養価も高く、サラダにして食べる

LAで一番の規模を誇る

サード・ストリート・ファーマーズ・マーケット

Third Street Farmers Market

カリフォルニアでも最大の規模を誇るマーケット。近隣の農家が多数出店しており、その農産物の種類と量は圧巻。果物などの試食も充実。日本ではなじみのない果物や野菜もあるので、買って食べてみるのも楽しい。

近郊ファームのオーガニック野菜がいっぱい

クオリティが高く安全な野菜や果物は、食材選びに厳しい有名シェフたちが、こぞって買いに来ます。

MAP P.24/別冊P.11 A-2　サンタモニカ

所 Arizona Ave（水曜2nd St.と4th Stの間、日曜4th St.とOcean Aveの間）　交 サンタモニカ・プレイスから徒歩8分　営 水曜8:30～13:30（土曜～13:00）
URL www.smgov.net/portals/farmersmarket

LA近郊の農家が運んできた、種類も豊富なみずみずしい野菜が並ぶ

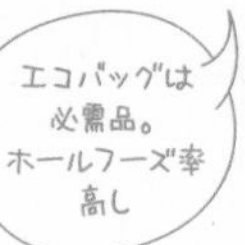

エコバッグは必需品。ホールフーズ率高し

ファーマーズ・マーケットはここでも開かれています

ビバリーヒルズ 営日曜9:00 ～ 13:00 所9300 Civic Center Dr URL www.beverlyhills.org/attractions/market MAP 別冊P.7 B-3

ハリウッド 営日曜8:00 ～ 13:00 所Ivar & Selma Ave（Hollywood & Sunset Blvd の間）URL www.seela.org MAP 別冊P.6 F-1

センチュリーシティ 営木曜11:00 ～ 15:00 所1800 Ave of the Stars URL rawinspiration.org/dev/marketlocations.php MAP 別冊P.7 A-4

ファームメイドのヘルシーみやげをチェック

採れたてオーガニックのフルーツで作った加工品や、ハンドメイドのポプリ、ソープなどのお店も出店。

Got Thyme

ハーブの専門農家。農薬や化学肥料を一切使わずに栽培している。おみやげに良いソープやポプリも販売。

僕たちのお店に遊びに来てね

オーガニックのラベンダー（左）とローズのポプリそれぞれ$8、2袋$15

うちのオレンジ、試食してみてね
Creek Ranch

100%オーガニックの自家製ドライオレンジ、2オンス入り $2.48

Mud Creak Ranch

年間を通してさまざまな柑橘類を栽培。農薬を使わない、丸ごと食べられる果実を生産。

果実たっぷり評判のジャムです

Frog Hollow Farm

北カリフォルニアに広大な果実園をもつ農家。果実はジャムやドライフルーツに加工しており、品質の良さが評判に。

オーガニックで栽培されたフルーツのジャム。各$8、3個$20

フレッシュなアーモンドが自慢です

ナチュラルな甘さのはちみつ入り、ローステッド・アーモンドのペースト$8

Fat Uncle Farm

農園で育てたオーガニック・アーモンドを、ペーストやバター、さまざまなフレーバーのローストアーモンドに加工して販売。

お花屋さんも出店！

摘みたてのお花を売るショップも

まさに人種のサラダボール、LAのファーマーズ・マーケットでは、日本、タイ、イタリアなどさまざまな国の野菜も売られています。

グルメなセレブも来店します おいしくて雰囲気もすてきなレストラン

セレブがたくさん住むLAには、彼らがごひいきにするカフェやレストランがいっぱいあります。普段着でふらりと食事にやってくる、あのセレブに会えるかもしれないお店をご紹介しましょう。

1 オープンキッチンなので、厨房で働くフレンドリーなスタッフの姿が見える 2 ウエイティングバー 3 ブラウンと白を基調とした落ち着いた店内、ところどころにペルーのエッセンスが香るインテリアが

新旧が同居するペルー料理

ペルー

③ピッカ
Picca

シェフのリカルド・サラテ氏は、フード&ワインマガジンのベスト・ニューシェフに選ばれたこともある実力者。伝統的なペルー料理や、和食やアジア各国の料理からヒントを得たというオリジナルペルー料理が評判に。

MAP 別冊P.7 B-4　　ビバリーヒルズ

所 9597 W Pico Blvd
交 トゥー・ロデオから車で4分
☎ 310-277-0133　営 18:00～23:00(日～水曜～22:00)
休 無休　料 $55～　C M、V、A　URL www.piccaperu.com

おすすめMenu
- ・ひらめのカルパッチョ $23
- ・ペルー風うにリゾット $18
- ・ビーフフィレのステーキ $17

おすすめのうにのリゾット。深みのある味とまろやかな食感が魅力

キュウリとフライドガーリックの食感が楽しいカルパッチョ

ビーフのヒレ肉のグリル。醤油ベースのソースが美味

スカイ・バーもセレブ出没スポット

サンセット・ブールバード沿いのホテル、モンドリアンにある、スカイ・バーはセレブたちの交流の場として有名なバー。映画関係者のパーティーもよく開かれます。 MAP 別冊P.7 C-2

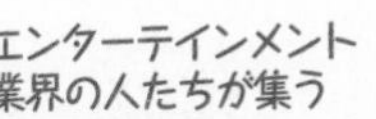

エンターテインメント業界の人たちが集う

リテラティ・カフェ
Literati Café

明るく居心地の良い店内では新聞を読んだり、パソコンで仕事している風の人も。映画業界の人たちが頻繁に訪れる店。食材がオーガニックなのも人気。

MAP 別冊P.5 A-3　ウエスト・ロサンゼルス

所 12081 Wilshire Blvd　交 サンタモニカ・プレイスから車で10分　☎ 310-231-7484
営 7:00 ～ 23:00(土・日曜8:00 ～)　休 無休
料 L$9.99 ～、D$12.99 ～　C V、M、A
URL www.literaticafe.com

おすすめMenu
- ターキーとアスパラサンド $10.99
- ブレックファストタコス $8.99

1 ブレックファスト・タコス、小麦で作ったトルティーヤの具材は卵、ベーコンにアボカドなど。サルサとサワークリームが添えられる(手前)、全粒粉パンを使ったターキーとアスパラのサンド　2 3 落ちついた、雰囲気の店内

セレブたちが通うピザ屋さん

イタリアン

マルベリー・ストリート・ピッザリア
Mulberry Street Pizzaria

店内に貼ってある、マルベリーピザをごひいきにしているセレブたちの写真が目を引く。手作りのピザソースは、添加物を加えない自然の味。

MAP P.22/別冊P.13 C-3　ビバリーヒルズ

所 347 N Canon Dr
交 トゥー・ロデオから徒歩7分　☎ 310-247-8998
営 11:00～22:00(金～日曜～23:00)　休 無休
料 スライス$3.50 ～、ホール$19.95 ～　C V、M、A
URL www.mulberrypizzeria.com

ほうれんそうホワイトソースのピザとトマトソースのピザ、一切れ各$4.25

おすすめMenu
- ホワイトソースピザ $4.25
- 自家製ラザニア $11.95

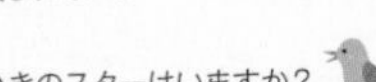

奥行きがある店内、壁は映画のポスターや有名人の写真が貼られている

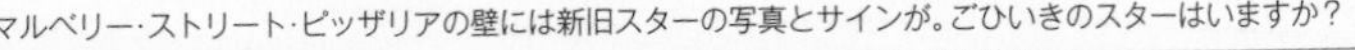

マルベリー・ストリート・ピッザリアの壁には新旧スターの写真とサインが。ごひいきのスターはいますか？

スイーツもごはんもおいしい LA女子御用達のおしゃれカフェ

女の子のカフェ好きは万国共通です。
本を読んだり、みんなで集まってとめどもなくおしゃべりしたり……。
そんな女の子たちがお気に入りのゆったりくつろげる雰囲気のよいカフェです。

食材はこだわりのオーガニック

1 地元の女子たちの溜まり場。店の奥にもテラス席がある
2 朝食メニューのベルギーワッフル$7.50。フルーツのトッピング$3
3 タピオカ入りの抹茶シェーク$4.95～
4 キティちゃんの絵柄の抹茶カフェ$4～。リクエストすれば描いてくれる
5 オーガニックの小麦で生地も手作り。生ハムとブラッターチーズのピザ、ピザ・カトーナ
6 タコシェルの中に豆、レタス、ワカモレ、サルサが入ったトスターダ

LAを代表するオーガニック・カフェ

アース・カフェ
Urth Caffé

LAのオーガニック・コーヒーショップの草分け的存在、お店のメニューの素材も全てオーガニック、新鮮さと品質管理にはこだわりを持つ。店で提供する飲み物、食べ物はおいしいものを、という信念のもとパンは24時間体制で焼いている。

MAP 別冊P.10 B-3 サンタモニカ

所 2327 Main St
交 サンタモニカ・プレイスから車で5分
☎ 310-314-7040
営 5:30～23:00(金・土曜～24:00)
休 無休 料 $7.50～
C V、M、A URL www.urthcaffe.com

オススメMenu
- 生ハムとブラッターチーズのピザ・カトーナ $11.95
- トスターダ $12.95

めずらしいベネズエラ料理を

ベネズエラは先住民のインディオやスペイン、アフリカ、アジアや南米近隣諸国からの移民からなる多民族国家です。ベネズエラ料理はインディオ伝来の料理に、移民たちの各国の料理が反映されて作り上げられました。

人気は絶品クレープ

オススメMenu

・ラ・ノルマンディー $10.70

・トロピカルフルーツ・クレープ $10.20

1ハリウッド＆ハイランド内にある店舗
2パパイヤ、キウイ、マンゴーほか3種類のフルーツがたっぷり入ったトロピカルフルーツ・クレープ
3テラスには、ハリウッド＆ハイランドの中庭を望む席もある

おいしいクレープならおまかせ!

フレンチ・クレープ・カンパニー

French Crepe Co.

サンドイッチやスープもあるが、おすすめはクレープ。ビーフストロガノフ、シーフードのサラダ付食事用クレープや、フルーツたっぷりの甘いクレープなどが楽しめる。

MAP P.26/別冊P.6 E-1　ハリウッド

所 6801 Hollywood Blvd #403
交 ハリウッド＆ハイランド内　☎ 323-960-0933
営 9:00～21:00（金・土曜～23:00、日曜～19:00）
休 無休　料 $11～　C V、M、A
URL www.frenchcrepe.com

めずらしいベネズエラ風カフェ

クーパ・カフェ

Coupa Café

ビバリーヒルズに1軒だけのベネズエラン・カフェ＆レストラン。自慢のコーヒーはベネズエラの契約農家が手摘みし、太陽で乾燥させた豆。料理の素材は全てオーガニック。

MAP P.22/別冊P.13 B-3　ビバリーヒルズ

所 419 N Canon Dr　交 トゥー・ロデオから徒歩10分　☎ 310-385-0420　営 10:00～20:00(木～土曜9:00～21:00、ハッピーアワー毎日16:00～19:00)
休 無休　料 L$14、D$24　C V、M、A
URL www.coupacafe.com

1店の一番奥にはファイヤープレイスとソファがありくつろげる
2ベネズエラの伝統的料理エンパナーダ
3ベネズエラの代表的な料理パベロン。フライドバナナ、黒いんげん豆、細切りの牛肉の煮込みなど

本格的なベネズエラ料理も

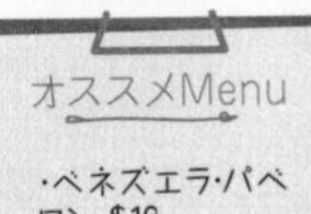

オススメMenu

・ベネズエラ・パベロン $19

・クーパ・バーガー $17

サンフランシスコやシアトル同様、LAのカフェでもオーガニックコーヒーを提供するショップが増えています。

朝食にもランチにもおすすめです ヘルシーなメニューが人気のベーカリー・カフェ

気軽に入れるベーカリーでは地元の人も朝食やランチをゆっくりと楽しんでいます。
おいしくて、バラエティに富んだメニューが自慢の、
ローカルに人気のあるパン屋さん3軒をご紹介しましょう。

スイーツや食事メニューも充実

Toast Bakery Café
フルーツや野菜がヘルシー

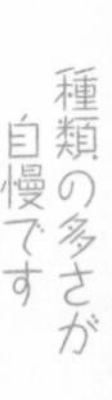

種類の多さが自慢です

安全安心の食材が魅力です

手軽に買えておいしいフードトラック

ベーカリーと同様手軽に食事ができるのが、今や有名レストランも参入する人気のフードトラック。キッチン付のトラックで、オフィス街やフリーマーケットなど人の集まる場所に出没。出店場所と日時はWebでチェックを。URL www.findlafoodtrucks.com/

1ティラミスなどのスイーツもたくさん。歩き疲れた時は甘いものがいちばん$6.95～
2明るく居心地いい雰囲気のカフェ
3野菜、ソーセージ、モッツァレラのオムレツ$10.95～
4クロワッサンにスクランブルエッグ、ハム、チェダーチーズを挟んだサンドイッチ$11.95～

行列は当たり前の人気カフェ

トースト・ベーカリー・カフェ
Toast Bakery Café

平日の朝にも関わらず、テラス席も屋内も出勤前のビジネスマン、家族連れで大賑わい。サクッと食べられるサンドイッチやオムレツが人気。

MAP 別冊P.8 D-3　　ミッド・ウィルシャー

住 8221 W 3rd St　交 ビバリー・センターから徒歩12分
☎ 323-655-5018　営 7:30 ～ 18:00　休 無休　料 $9.95 ～
C V、M、A　URL www.toastbakerycafe.net

1朝食用に焼きたてのパンを買いに来る人も多い
2オーガニックエッグサラダのオープンサンド$11.10～
3オーガニックブレッドとスプレッドのセット$13.35～、ヴィーガン用のメニューもある
4各テーブルにはジャムとチョコレートペーストがありパンに塗って食べられる

オーガニックの自家製パンを

ル・パン・コティディアン
Le Pain Quotidien

吟味したオーガニックの材料で焼くパンには根強いファンが多い。デニッシュやクロワッサンなど種類も豊富で、どれを食べようかと迷うほど。

MAP P.22/別冊P.13 A-4　　ビバリーヒルズ

住 9630 S Santa Monica Blvd　交 トゥー・ロデオから徒歩12分
☎ 310-859-1100　営 7:30 ～ 19:00　休 無休
料 L$12～、D$15～ C V、M、A　URL www.lepainquotidien.com

1牛の肩ばら肉を挟んだサンドイッチ。サンドイッチは$9 ～
2トム・ハンクスやアーノルド・シュワルツネッガーなどのセレブごひいきの店
3ベーコンとタマネギの甘辛いパイ
4ほうれんそうやニンジンなど野菜とキノアの入ったサラダケーキ
5マフィンやペストリーなど甘めのパンも評判

地産地消にこだわり

ハックルベリー
Huckleberry

素材はすべて栽培方法まで調べ上げ、ローカルの農家から仕入れるとこだわりを持つ。健康志向の強いLAの人々に支持され、週末は30分待ちが当たり前。

MAP 別冊P.10 B-1　　サンタモニカ

住 1014 Wilshire Blvd　交 サンタモニカ・プレイスから車で3分
☎ 310-451-2311　営 8:00 ～ 20:00(土・日曜～ 17:00)　休 無休
料 $2.50 ～　C V、M、A　URL www.huckleberrycafe.com

サンドイッチのオーダーで最初に聞かれるのがパンの種類。ホワイト（white）ライ（rye）ウィート（wheat）が一般的。

飾っておきたいくらいカワイイ LAのカップケーキたち

女の子たるものスイーツのチェックにはどこに行っても手を抜きません。
人気が定着する一方で話題のカップケーキのショップも増えているようす。
なかでも味にうるさい女の子が通うのはこのお店。

レッド・ベルベット $3.75
チョコレートケーキにチーズフロストをのせて

ココナッツ $3.75
しゃきしゃきココナッツの食感もおいしい

1日に1000個以上売り上げる人気店

ブラック&ホワイト $3.75
チョコレートのスポンジにバニラのフロスティング

Vanilla Bake Shop
フレッシュなカップケーキです

ブラック&ホワイト $3.50
ダークチョコレートがちょっぴり甘さを抑える

オールドファッションド $3.50
ちょこんと乗ったチェリーがかわいい

ブラックベリー・パッション $3.50・小3つ$6
水・金・日曜日限定でお店に並ぶ

クラシックでエレガントなディスプレイが女子好み

日替わりメニューも楽しい

スプリンクル・カップケーキ
Sprinkles Cupcakes

9州に18店舗を展開するLAのカップケーキ専門店の草分け。1日に提供する20種類のうち、曜日変わりで12種類のフレーバーが店頭に並ぶ。

MAP P.22/別冊P.13 A-3 ビバリーヒルズ

所9635 S Santa Monica Blvd 交トゥー・ロデオから徒歩12分
☎310-274-8765 営9:00 ～ 21:00(日曜10:00 ～ 20:00)
休無休 C V、M、A、J URL sprinkles.com

懐かしい味にエッセンスを加えて

バニラ・ベーク・ショップ
Vanilla Bake Shop

LA空港の国際線ターミナルにも店舗を持つ。毎日焼き上げるカップケーキの材料はナチュラルにこだわっている。一口サイズも人気がある。

MAP 別冊P.11 A-1 サンタモニカ

所512 Wilshire Blvd 交サンタモニカ・プレイスから徒歩13分
☎310-458-6644 営9:00 ～ 19:00(日曜10:00 ～ 18:00)
休無休 C V、M、A、 URL www.vanillabakeshop.com

カップケーキの自動販売機

スプリンクルは、カップケーキの自動販売機をお店の横に設置しています。24時間年中無休で買えるこのシステム、導入直後はお店が営業中なのにも関わらず長蛇の列ができました。

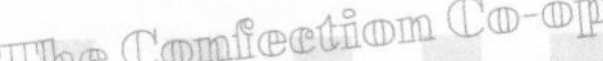

ストロベリー・クリームチーズ 小$1.45 大$4.95

可愛らしい姿で女の子の人気度高し

チョコレートミント 小$1.45 大$4.95

チョコミントクッキーのバタークリームがさわやか

コンフィティカップケーキ 小$1.45 大$4.95

バニラのバタークリームにカラフルなトッピングが

お店ではフレンドリーなスタッフがお出迎え

個性的な味のカップケーキが人気

コンフェクション コーブ

The Confection Co-op

上質の素材を使い毎日焼き上げたカップケーキはファンも多い。またお店のオリジナルのアイスクリーム入りカップケーキも人気。

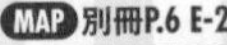

別冊P.6 E-2　ハリウッド

所1200 N Highland Ave　交ハリウッド&ハイランドから徒歩15分　☎323-467-1080　営9:00～19:00　休無休　CV、M、A　URL www.theconfectionco-op.com

バニラ$3 小$1.75

リボンのトッピングがかわいいカップケーキ

チョコバター $3

チョコレートのスポンジにクリーミー・ピーナッツバターを

日替わりもあってバラエティに富んだフレーバーが楽しめる

モフ・テフ $3

チョコレートケーキがベース、甘党の人にオススメ

パサデナの女の子ごひいきの店

ドッツ・カップケーキ

Dots Cupcakes

タヒチのバニラ、マダガスカルのバーボン、オーガニックのジャムなどをはじめとし、吟味した材料で焼き上げる。

MAP 別冊P.13 A-1　パサデナ

所21 N Fair Oaks Ave　交メトロ・ゴールドラインMemorial Park駅から徒歩10分　☎626-744-7719　営10:00～19:00（金曜～21:00、土曜～22:00、日曜～18:00）　休無休　CV、M、A　URL www.dotscupcakes.com

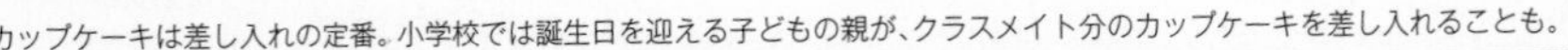

カップケーキは差し入れの定番。小学校では誕生日を迎える子どもの親が、クラスメイト分のカップケーキを差し入れることも。

どれにしようかワクワクします スーパーのデリは毎日通ってもあきません

気軽に買って食べることができるからスーパーのデリはとっても便利。
なかでもローカルに圧倒的に支持されているのは、
高級スーパーのゲルソンズとオーガニック・スーパーのホールフーズです。

セルフサービスのデリで好きなものを好きなだけ

ホールフーズの豊富なメニューにはびっくり B

サラダバーには新鮮な野菜がたっぷり B

豆やパスタでサラダもボリュームアップ A

ビーフやチキンのホットミールもセルフサービスのセクションに B

DELI

お惣菜の中には日本ではお目にかかれないものもあるので試してみて

フルーツミックスサラダ。約1/4パウンド$2 A

サーモンのスイートマスタードソース、一切れ$9.99 A

カウンターで気軽にスタッフに注文してね

好きなお惣菜をボックスに入れてレジで精算 B

サラダは1パウンド$8.49。写真は0.5パウンド分 B

新鮮な野菜のサラダ。写真は約1/4パウンド$2 A

どうやって買うの？

発券機から整理券を取り、順番になったらカウンターに行き商品と「クォーター 1/4」など欲しい量を伝えます。会計はスーパーのレジで。

CHEESE

バラエティに富んだチーズが並びます

フランスやノルウェーなど海外のチーズも Ⓑ

ヤギのミルクのチーズもハーブ入りなど種類もいっぱい Ⓐ

OLIVE

種類も色もとりどりのオリーブが楽しめます

ブラックやトマト、ハラペーニョのスタッフドとさまざまなバラエティが楽しめる Ⓐ

リッチなマダムが好む高級デリ

Ⓐ ゲルソンズ Gelson's

バイヤーたちが厳選した商品を店頭に並べるゲルソンズ。デリにも鮮度を重視したお惣菜がずらりと並ぶ。地元のマダム達にも人気の高い、こだわりのお惣菜をお試しあれ。

MAP 別冊P.6 D-2　ウエスト・ハリウッド

所 8330 W Santa Monica Blvd　交 サンセット・プラザから車で5分　☎ 323-656-5580　営 7:00～24:00　休 無休　C V、M、A　URL www.gelsons.com

ゲルソンズはここにもあります

センチュリー・シティ	マリナ・デル・レイ	ハリウッド
MAP 別冊P.7 A-4	MAP 別冊P.5 B-4	MAP 別冊P.6 F-1
所 10250 Santa Monica Blvd	所 13455 Maxella Ave	所 5877 Franklin Ave

デリの種類の多さにびっくり

Ⓑ ホールフーズ・マーケット Whole Foods Market

セレクションの多さが魅力。ベニス店は健康オタクが多い土地柄か、ヴィーガンやローフードといった他のホールフーズやオーガニックスーパーでは見られないラインナップも。

MAP 別冊P.10 B-3　ベニス

所 225 Lincoln Blvd　交 サンタモニカ・プレイスから車で6分　☎ 310-566-9480　営 7:00～22:00　休 無休　C V、M、A　URL www.wholefoodsmarket.com

ホールフーズ・マーケットはここにもあります

ビバリーヒルズ	ウエスト・ハリウッド	サンタモニカ
MAP 別冊P.13 C-3	MAP 別冊P.6 D-2	MAP 別冊P.11 A-1
所 239 N Crecent Dr	所 7871 Santa Monica Blvd	所 500 Wilshire Blvd

1パウンドは約454グラム、ハーフパウンドは約227グラム、クォーターパウンドは約114グラムです。

味も大きさも大満足 LA でおいしいと評判のグルメバーガー

日ごろはカロリーを気にしていても、やっぱり食べてみたい本場のハンバーガー。
お肉もたっぷり、お野菜もはみ出すくらいのボリュームと種類の多さに感激です。
味の良さと素材のクオリティの高さに定評のあるショップをご紹介します。

いろいろな旨みがミックス

シイタケやカリカリに焼いたチーズなど意表を突く具材がユニーク

A ウマミ・バーガー $12

ハワイアンバンズを使っています

C ミニチーズバーガー $10.50

ちょっぴり甘いバンズを使ったワン・バイトサイズのバーガー

フカフカの食感がたまりません

B ビーフ・オン・プレッツェル $9.95

ビーフ・オン・プレッツェルは店の看板メニュー。

編集部イチオシ

野菜たっぷり女子人気

B ハウスメイドベジバーガー $9.95

ブリオッシュのパンズに野菜とチーズを挟んだヘルシーバーガー

ハンバーガーで表現するウマミ

Ⓐ ウマミ・バーガー
Umami Burger

クオリティの高い食材を使い、上質なグルメ・バーガーを提供する。店舗ごとにオリジナルのメニューを持つ。LA空港国際線ターミナルにも出店。

MAP P.26/別冊P.6 F-1 ハリウッド

所1520 N Cahuenga Blvd (Space 15 Twenty内)
交ハリウッド&ハイランドから徒歩20分
☎323-469-3100 営11:00 ～ 23:00(金・土曜～ 24:00)
休無休 C V、M、A URL www.umami.com

プレッツェルバンズのバーガー

Ⓑ ホール・イン・ザ・ウォール・バーガー・ジョイント
Hole in the Wall Burger Joint

プレッツェルバンズのバーガーはここが始まり。大自然の中で育った放牧牛、アンガス牛を使う。ケチャップも自家製と随所にこだわりが。

MAP 別冊P.10 C-2 サンタモニカ

所2200 Colorado Ave UnitC 交サンタモニカ・プレイスから車で5分 ☎310-449-0147 営11:00～22:00 休無休
URL www.holeinthewallburgerjoint.com

大人に人気のグルメバーガー

ファスト系より値段も高いグルメバーガー。その理由は厳選された素材です。肉本来のおいしさにこだわり、グルメな大人たちに大人気。ボリュームもたっぷりで、1つ食べればおなかいっぱいに。

ショップのいちばん人気
編集部イチオシ
ソテーしたオニオンが美味

Ⓐ パストラミ・マミ $15

ハリウッド店のみで食べられるオリジナルバーガー

Ⓒ カウンター・バーガー $12.75

クリスピーなオニオンリングが味のアクセントになっている

Ⓐ カリバーガー $12

具材のチーズはホームメイドのアメリカンチーズ、ソースも自家製

自分好みのハンバーガーを

Ⓒ カウンター
The Counter

バンズ、パテ、チーズ、トッピングなどを選び、オーダーメイドのハンバーガーが作れる。組み合わせはなんと31万通り以上あるそう。

MAP 別冊P.4 F-4　エルセグンド

所700 South Allied Way　交ロサンゼルス国際空港から車で8分　☎310-524-9967　営11:00～22:00（金・土曜～23:00、日曜11:30～）　休無休　ⒸV、M、A　URL www.thecounterburger.com

LAで一番おいしいと評判のハンバーガーはパブにあり

バーなのでお酒を飲まなくても21歳未満は入れません

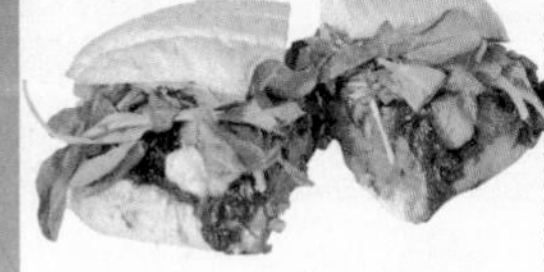

小さな店で目立たないが看板を目印に

柔らかなバンズ、ソースは少し甘めで肉は柔らかくジューシー

ファーザーズ・オフィス
Father's Office

ビールと一緒に召し上がれ

平日、休日とも開店と同時にいっぱいになってしまう人気パブ。ここのハンバーガーのおいしさは現地マスコミも絶賛。

MAP 別冊P.10 B-1　サンタモニカ

所1018 Montana Ave　交サンタモニカ・プレイスから車で6分　☎310-736-2224　営17:00～22:00（木曜～23:00、金曜16:00～23:00、土曜12:00～23:00、日曜12:00～）　休無休　ⒸV、M、A　URL www.fathersoffice.com

お肉の入らない野菜のベジバーガーを提供している店もあり、ベジタリアンやヴィーガンに好評のようです。

今日はちょっとロマンティックに サンセット＆夜景がすてきなダイニングバーへ

ビーチをオレンジ色に染めるサンセット、日が暮れてからはキラキラ煌めく夜景。
1日の終わりは眺めの良いレストランでおいしいお料理とともに、
ゆっくりと夜景の美しさを味わってみませんか。

きれいな夜景を楽しみたいなら予約がおすすめです

1 LAの絶景を見るなら16階のルーフトップにあるバーへ
2 アンティーク風のインテリア、家具などくつろげる空間がすてき
3 15階には25種類以上のワインやカクテルが楽しめるバーも併設

ひとくちサイズのミニバーガー・ビーフスライダー

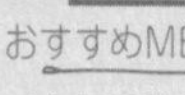

おすすめMENU

- ・ビーフスライダー 1個$2.50
- ・豚バラ肉角煮風 $12
- ・ムール貝$18

豚バラ角煮風は口の中に入れると崩れてしまうほどの柔らかさ

ダウンタウンのスカイラインが一望

パーチ
Perch

360度LAの風景を展望できるレストラン。迫りくるビル群と、広大なLAの景色が楽しめる。料理はアメリカンとヨーロピアンのフュージョン、スナックから手の込んだメインディッシュまでと幅広い。

MAP 別冊P.12 B-3 ☎ ダウンタウン

所448 S Hills St 交メトロ・レッドライン/パープルライン Pershing Square駅から徒歩1分 ☎213-802-1770
営16:00〜翌1:00（木〜土曜〜翌2:00、日曜11:00〜） 休無休
料L$20〜、D$28〜 ©V、M、A URL www.perchla.com

LAのナイトスポット、ライブハウス&クラブ

夜景以外の夜のスポットといえばライブハウスやクラブ。ウエスト・ハリウッドとハリウッドに有名どころが集まっています。入場の際にはパスポートが必要、21歳未満は入場不可が多いので事前に確認を。また店が賑わうのは21時以降、安全のためにも店と宿泊先の往復はタクシーで。

ハリウッドとダウンタウンの夜景が美しい

1レストラン正面のハリウッドを望む 2フロアの真ん中のプールを囲むようにテーブルがセッティングされている 3カクテル各種$14～

大人の夜を満喫

ルーフ・オン・ウィルシャー
The Roof on Wilshire

ホテル・ウィルシャーの屋上にあるレストラン。シェフは有名シェフのアラン・デュカスにも師事しており、地元誌でLAのシェフベスト8にも選ばれたこともある。

MAP 別冊P.8 D-4　ミッド・ウィルシャー

所6317 Wilshire Blvd　交ビバリー・センターから車で4分　☎323-852-6002
営7:00～23:00(金・土曜～翌1:00)
休無休　料$30～　CV、M、A
URL www.theroofonwilshire.com

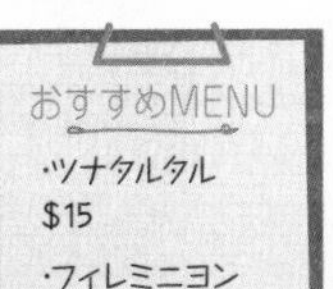

おすすめMENU
・ツナタルタル $15
・フィレミニヨン $27

Grifith Observatory

LAでいちばんの夜景スポットは、グリフィス天文台です

1左手がダウンタウン 2夜間ライトアップされたグリフィス天文台 3ローカルにも人気のスポット

グリフィス天文台
Griffith Observatory

ロス・フェリッツの北側の丘陵にある、グリフィス天文台から市内が一望できる。昼の眺めもよいが、LAのきらめく夜景は必見。

天文台の中にはカフェ・アット・ザ・エンド・オブ・ユニバースがあるよ

MAP 別冊P.4 D-1　ロス・フェリッツ

所2800 E Observatory Rd
交ハリウッド&ハイランドから車で15分 ※土・日曜は10:00～22:00まで、メトロ・レッドラインVermont/Sunset駅とグリフィス天文台間にシャトルバスが運行。片道$0.5
☎213-473-0800　営12:00～22:00(土・日曜10:00～)　休月曜
URL www.griffithobservatory.org

LAは昼と夜の寒暖の差が大きく、夜間の外出は夏でもジャケットが必要です。

おみやげは人気のオーガニックスーパー ホールフーズ&トレーダー・ジョーズで

海外のスーパーほどテンションが上がる場所はありません。
かわいいパッケージのお菓子や食材、バスグッズにも出会えます。
時間をたっぷり取ってショッピングを楽しみましょう。

ヘルシーフードがいっぱい

オーガニックや安全・安心な食材には定評ある2大スーパー、その品揃えはさすがです

栄養価が高いプランテン(食用バナナ)のチップ
$1.69

ローストしたココナッツを塩と砂糖で味付け
$1.99

りんご、チェリー、ブドウ、もも、ラズベリーの花のはちみつスティックタイプ
$1.49

フリーズドライしたアメリカ産ラズベリー。酸味が爽やか$2.99

インスタントのパスタソース。もちろんオーガニック素材、各$1.59

マシュマロをチョコでコーティング。ボックスもキュート$2.99

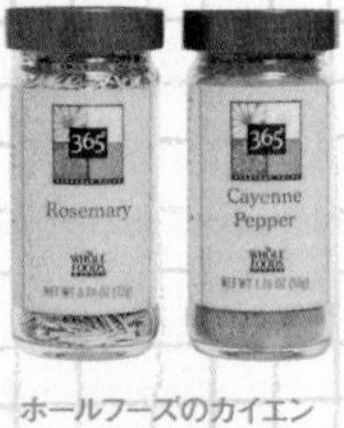

ホールフーズのカイエンペッパー、ローズマリー各$3.99

ホールフーズの広さと商品の種類の多さには感激

旬の時期に収穫した果実を自然乾燥させたドライフルーツ$5.99

トレンドは地産地消

地産地消に力を入れるスーパーが増えています。地元の農家のサポートや産地と店の運搬距離を短くすることで、CO_2の削減もできるとメリット大です。

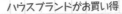

バスグッズやソープもローカル産が人気

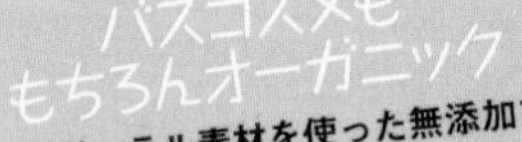

バスコスメももちろんオーガニック

ナチュラル素材を使った無添加で手作りのバスグッズ。バスソルトは量り売りで買えます

オーガニックの手作りソープも量売り

a ブラッド・オレンジのエッセンシャルオイル入りソープ $12.99

a バスソルトは、量り売りで買える。1オンス$0.75

a 100％自然素材のバスソルト。量り売りで1オンス$0.75

a レモングラスとジンジャーのボディ・バター$11.99

b べとつきが少なく、肌なじみがよくマッサージオイルにも最適。ホホバ・オイル$7.99

b なめらかなテクスチャーのハンド＆ボディローション$4.99

オーガニックスーパーの代表

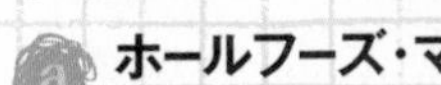

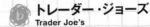

a ホールフーズ・マーケット
Whole Foods Market

今やオーガニック・スーパーの代名詞、ともいうべき超人気スーパー。品質、品揃えともにピカイチ。コスメ、サプリメントやオリジナルブランドも扱う。

MAP 別冊P.10 B-3　ベニス

➡P.59

ハウスブランドがお買い得

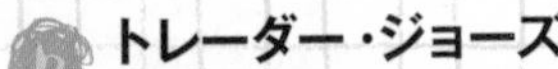

b トレーダー・ジョーズ
Trader Joe's

カリフォルニア生まれのオーガニックスーパー、食品から日用品までなんでも揃うハウスブランドの製品も多く、手頃な価格のラインナップが人気。

MAP 別冊P.5 A-3　サンタモニカ

所11755 W Olympic Blvd　交サンタモニカ・プレイスから車で8分　☎310-477-5949　営8:00～22:00　休無休　CV、M、A　URL www.traderjoes.com

アメリカのボディローションやハンドローションは日本のものより香りが強め。テスターで試してからの購入がおすすめです。

LAのホテルは旅の目的に合わせたエリア選びが大切です

広大なエリアに観光ポイントが点在するロサンゼルス。
どこで何をしたいか何を見たいかを決めてから
ホテルを選ぶことが旅をより楽しくするポイントです。

ホスピタリティの高いホテル

ビバリーヒルズ

クレセント
The Crescent Hotel

1927年に造られたアールデコ建築のホテル。当時はアパートとして使われており映画スターたちが住んでいた。各部屋の内装も個性的。

MAP P.22/別冊P.13 C-3

所403 N Crescent Dr 交トゥー・ロデオから徒歩10分 ☎310-247-0505 FAX310-247-9053 室35室 料$250～ CV、M、A、J URL www.crescentbh.com

ここがおすすめ

ビバリーヒルズの中心地まで徒歩で約10分。すぐ近くには、ホールフーズもあって便利。

上品なインテリアが自慢

ビバリーヒルズ

アバロン
Avalon Hotel

レストランやおしゃれなショップも近隣にある、デザイナーズホテル。プールを囲むように3棟の建物からなる。客室の内装はスタイリッシュ。

MAP 別冊P.7 B-4

所9400 W Olympic Blvd 交トゥー・ロデオから車で3分 ☎310-277-5221 FAX310-277-4928 室84室 料Q $250～ CV、M、A URL www.avalonbeverlyhills.com

ここがおすすめ

プールサイドにはカバナ（個室）があり、夜にライトアップしたプールを眺めながら食事を楽しめる。

ショッピング・観光に便利

サンタモニカ

カーメル・バイ・ザ・シー
Hotel Carmel by the Sea

サンタモニカの中心に位置し、サード・ストリート・プロムナードやサンタモニカ・プレイスなど主要スポットに徒歩で行ける。館内はレトロで歴史を感じる。

MAP P.24/別冊P.11 B-2

所201 Broadway 交サンタモニカ・プレイスから徒歩2分 ☎310-451-2469 FAX310-393-4180 室97室 料Q $184～ CV、M、A URL www.hotelcarmel.com

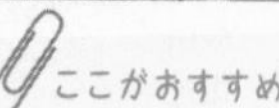

ここがおすすめ

毎朝ロビーにデニッシュやマフィンなどとコーヒーが用意されており、簡単な朝食が無料で取れる。

暮らすように滞在できる

サンタモニカ

パリハウス
PaliHouse Santa Monica

ビーチやダウンタウンにも至近距離なので便利。美しい庭園や、コインランドリー、キッチン付の部屋もあり暮らすように滞在できる。

MAP 別冊P.10 B-1

所1001 3rd St
交サンタモニカ・プレイスから車で4分 ☎310-394-1279
FAX310-451-3422 室36室
料$330～CV、M、A URL www.palihousesantamonica.com

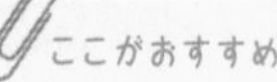

ここがおすすめ

ホテルにはレンタサイクルも。海岸沿いにはサイクルリングロードもあるので、サイクリングもおすすめ。

ブティックホテルのLAならではの逸話とは

歴史あるアパートを改装し、現在はブティックホテルになっている建物がビバリーヒルズやハリウッドにはたくさん。有名芸能人が当時住んでいたという逸話のあるアパートも多く、アバロンには実際にマリリン・モンローが住んでいました。

ウエスト・ハリウッド&ハリウッド

美しい眺望も魅力

モンドリアン・ロサンゼルス
Mondrian Los Angeles

サンセット・ストリップから、少し坂を上ったところにあるホテル。大きな窓から街が一望できる客室は、白を基調にしたスタイリッシュなインテリア。

MAP 別冊P.7 C-2

所 8440 Sunset Blvd 交 サンセット・ストリップのサンセット・プラザから車で3分 ☎ 323-650-8999 FAX 323-650-5215 室 237室 料 SU $309～ C V、M、A、D URL www.mondrianhotel.com

ここがおすすめ

ウエスト・ハリウッドの中心にありハウス・オブ・ブルースをはじめライブハウスに行くにも良い立地。

ウエスト・ハリウッド&ハリウッド

ハリウッドの滞在におすすめ

レッドベリー@ハリウッド&バイン
The Redbury@Hollywood and Vine

観光の拠点ハリウッド&ハイランドからすぐ。赤を基調にした客室には質感の良い家具やファブリックがあしらわれており、エレガント。

MAP 別冊P.6 F-1

所 1717 Vine St 交 ハリウッド&ハイランドから車で3分 ☎ 323-962-1717 FAX 323-962-1710 室 57室 料 K $315～ C V、M、A、J URL www.theredbury.com

ここがおすすめ

メトロ・レッドライン・ハリウッド/バイン駅から徒歩2分、交通の便が良いのが魅力。近隣にも観光物件が多数。

ダウンタウン

格調と伝統を誇る老舗

ミレニアム・ビルトモア・ロサンゼルス
Millennium Biltmore Hotel Los Angeles

ダウンタウンの主要な観光名所まで徒歩または車で数分。メトロの駅にも近く、ハリウッドなど主要な観光地にもアクセスしやすい。

MAP 別冊P.12 B-3

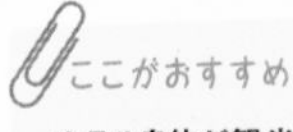

所 506 South Grand Avenue 交 メトロ・レッドライン／パープルラインPershing Square駅から徒歩すぐ ☎ 213-624-1011 FAX 213-612-1545 室 683室 C V、M、A、D、J URL www.millenniumhotels.com/usa/millenniumbiltmorelosangeles

ここがおすすめ

ホテル自体が観光スポット。数々の映画のロケ地として、登場。その豪華さは一見の価値あり。

ダウンタウン

リトル・トーキョー内のホテル

ダブル・ツリー・バイ・ヒルトン・ホテル・ロサンゼルス・ダウンタウン
DoubleTree by Hilton Hotel Los Angeles Downtown

活気を取り戻し、賑わいが増したリトル・トーキョーに位置する。周囲には日本食レストランも多数あり、日本語が通じるショップも多い。

MAP 別冊P.12 C-3

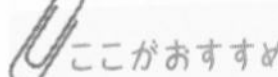

所 120 S Los Angeles St 交 メトロ・レッドライン/パープルラインCivic Center駅から徒歩5分 ☎ 213-629-1200 室 434室 料 K/D+D $259～ C V、M、A、D URL doubletree3.hilton.com 日本予約 03-6679-7700(東京23区内) FREE 0120-489-852(東京23区外)

ここがおすすめ

ホテルに隣接するウェラーコートにも飲食店が入り、日系のスーパーマーケットもある。

アバロンには、イームズ、イサム・ノグチ、ジョージ・ネルソンの家具や小物が揃えられており、ミッドセンチュリー好きにはたまらないホテル。

ロサンゼルスからひと足のばして サンタバーバラ＆ソルバング周辺へ

LAから北上すること2時間ほど、ヨーロッパ風の街並みが美しいサンタバーバラに到着します。周辺にはワイナリーやソルバングなど個性的な街が点在、見どころがいっぱいです。

Santa Barbara

1オレンジ色のレンガと白壁の建物がこの街のシンボル　2サンタバーバラ郡庁舎。屋上はクロックタワーと呼ばれ市内の眺望が　3郡庁舎で風はためく旗、上からアメリカ国旗、カリフォルニア州旗、サンタバーバラ郡旗　4街中にはかわいらしいショップがたくさん　5夜までにぎわう、繁華街ステート・ストリート

スペイン風の建物が美しい 歴史ある街サンタバーバラ

豊かな自然と歴史あるスペイン・ムーア様式の建物が印象的なサンタバーバラは、カリフォルニアでも屈指の美しい街として知られています。カリフォルニア最古の木造桟橋や、連日夜遅くまでにぎわう繁華街のステート・ストリートなど、魅力にあふれています。

Access!

ロサンゼルスから車で101号を北上し約2時間、またはアムトラックに乗り約2時間40分、1日6便運行。片道$31～

歴史を誇る桟橋

スターンズ・ワーフは1872年に、J.P.スターンズ氏の統括のもとで造られた桟橋。カリフォルニアでは長さ、歴史とも最長を誇ります。ここから見る夕暮れは圧巻の美しさ。レストランやショップもあり。MAP P.68

厳かな
気持ちに
なれます

❶フランシスコ派の宣教師により作られた10番目のミッション（伝道所）。当時スペイン人宣教師が作った10の伝導所の中で唯一現存するもの ❷当時のキッチン ❸歴史を感じさせる礼拝所

ミッション・サンタバーバラ

Old Mission Santa Barbara

この街のランドマーク

1786年建築の2つの尖塔を持つスペイン・ムーア様式の教会。その佇まいの美しさから「ミッションの女王」と呼ばれた。歴史的な資料も展示されている。

MAP P.68

所2201 Laguna St 交パセオ・ヌエボから車で15分。Laguna St 沿い ☎805-682-4713 営9:00～16:30（秋・冬～16:15） 休無休 料$6 URL www.santa barbaramission.org

山と海の
景色が
楽しめる

サンタバーバラの名所のひとつ。屋上からの眺望は必見

サンタバーバラ郡庁舎

Santa Barbara County Courthouse

屋上から市内を一望

真っ白な外観の郡庁舎。天井や壁に描かれた手描きの絵やタイルの装飾が美しい。屋上の時計台からはサンタバーバラの街が一望。

MAP P.68

所1100 Anacapa St 交パセオ・ヌエボから徒歩10分。Anacapa StとE Anapamu Stの角 ☎805-962-6464（カイドツアー） 営8:00～17:00（土・日曜10:00～16:45）。ガイドツアーは月・火・金曜10:30、14:00の2回、水・木・土曜14:00の1回 休無休 料無料 URL www.santabarbaracourthouse.org

サンタバーバラ・フィッシュハウス

Santa Barbara FisHouse

おいしいシーフードならここ

スターンズ・ワーフ正面のレストラン。魚介中心のメニューだが、ステーキなどもある。おすすめはマカデミア・ナッツ・シーバス。

ママ、
おなか
すいたよぅ

MAP P.68

所101 E Cabrillo Blvd 交E Cabrillo BlvdとAnacapa Stの角。パセオ・ヌエボから車で10分 ☎805-966-2112 営11:30～21:30（月曜～21:00、金曜～22:00、土曜9:30～22:00、日曜9:30～21:00） 休無休 料$11～ C V、M、A URL sbfishhouse.com

FISHOUSE

気持ちよいテラス席。人気のレストランなので予約を忘れずに

一泊するならこんなところ

キャナリー・ホテル

Canary Hotel

ファンシーなインテリアの客室。バスルームも広く使いやすい。パセオ・ヌエボほか、サンタバーバラ郡庁舎にも歩いて行ける距離。

MAP P.68

所31 W Carrillo St 交パセオ・ヌエボから徒歩3分 ☎805-884-0300 FAX805-879-9145 室97室 料Q/Q$295～ C V、M、A URL www.canarysantabarbara.com

ステート・ストリートとカブリロ・ブールバード周辺にはレンタサイクルのお店があります。ビーチ沿いを走ってみるのも気持ちいいです。

Solvang

デンマーク風の街ソルバングとワインカントリーをめぐる1日

ソルバングはデンマーク移民が作り上げた街です。風車や、民族衣装を着た店員さんも多く、一瞬アメリカにいることを忘れそう。ソルバング周辺には100以上のワイナリーがあり、良質なワインを作っています。有名なのはピノ・ノアールです。

Access!
ロサンゼルスから車で101号～154号を北上、246号に乗り換え西へ、約2時間40分

中庭で飲むワインは格別！

サンストーン・ワイナリー
Sunstone Winery

太陽の下で味わうワイン
サンタバーバラを代表する、家族経営のワイナリー。イタリア・トスカーナ風の建物がかわいい。屋外の中庭でワインを楽しめる。

MAP P.70

所 125 Refugio Rd, Santa Ynez 交 ソルバング観光案内所から車で8分 ☎ FREE 1-800-313-9463 営 11:00～17:00 休 無休 C V、M、A URL www.sunstonewinery.com

赤・白ともに$35～、販売はアメリカ国内のみで、輸出はしていない

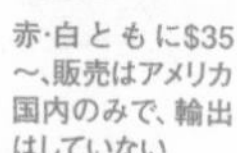

デニッシュ・ミル・ベーカリー
Danish Mill Bakery

本場のデニッシュを
55年前から営業している古参のベーカリーショップ。ショーケースの中には、豊富な種類のデニッシュがずらり。イートインもできる。

MAP P.70

所 1682 Copenhagen Dr, Solvang
交 ソルバング中心部、Copenhagen DrとAlisal Rdの角からすぐ ☎ 805-688-5805
営 7:00～18:00 休 無休 C V、M、A
URL www.danishmillbakery.com

サクサクとした食感です

サクレント・カフェ・ワイン・シャークテリ
Succulent Café Wine Charcuterie

地元食材を使った料理を
近隣の農家や牧場から仕入れた食材を使ったアメリカ料理。夜はレストラン内のみの提供だが、朝食と昼食はテイクアウトもある。

MAP P.70

所 1555 Mission Dr, Solvang 交 ソルバング観光案内所から徒歩4分 ☎ 805-691-9444 営 10:00～15:00、17:00～21:00（土・日曜8:30～21:00） 休 火曜 料 $11～
C V、M、A URL www.succulentcafe.com

人気の自家製ジャムは$7.95、ラベルもかわいくおみやげによい

人気上昇中のワインの産地

サンタバーバラ・ワインはサンタイネス、サンタリタヒルズ、サンタマリアを主とした5つの地域で産出されています。良質なワインができる理由はブドウの栽培時の昼夜の気温差。シャドルネもフルボディでコクがあります。

1 ソルバングのシンボルとして有名な風車。1階はみやげ物店
2 町中にはデニッシュ・ベーカリーがいっぱい
3 サンストーン・ワイナリーのワインセラー
4 馬車でのんびり町をめぐるソルバングトロリー

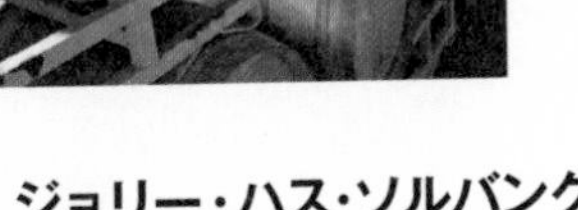

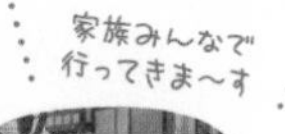

テイスティングもできます

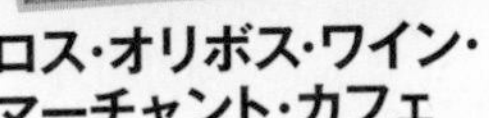

ロス・オリボス・ワイン・マーチャント・カフェ
Los Olivos Wine Merchant Cafe

予約必至のカフェ&ショップ

地元産のオーガニック食材を使った地中海風料理と、地元ワインの屈指の品揃えを誇る。おすすめはサイドウェイ・テイスティングディナー。

MAP P.70

所 2879 Grand Ave, Los Olivos
交 ソルバング観光案内所から車で11分
☎ 805-688-7265　営 11:30 ～ 20:30
休 無休　C V、M、A
URL www.losolivoscafe.com

ジョリー・ハス・ソルバング・クリスマス・ハウス
The Jule Hus Solvang Christmas House

毎日がクリスマスのショップ

年間を通してクリスマスグッズを販売していることで有名な店。オーナメントやツリーのスカートなど、日本ではあまり見ないグッズも多い。

MAP P.70

所 1580 Mission Dr, Solvang　交 ソルバング観光案内所から徒歩3分　☎ 805-688-6601
営 9:00 ～ 18:00　休 無休　C V、M、A
URL solvangschristmashouse.com

看板3人娘です、
会いに来てね

ブライドルウッド・エステート・ワイナリー
Bridlewood Estate Winery

美しく広大なワイナリー

広大な敷地を誇るワイナリー。ミッション風デザインを取り入れた建物もあり、庭ではピクニックも楽しめる。ワインはシラーがおすすめ。

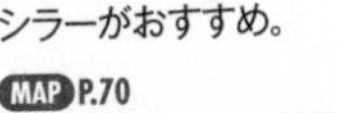

MAP P.70

所 3555 Roblar Ave, Santa Ynez　交 ソルバング観光案内所から車で13分　☎ 805-688-9000　営 11:00 ～ 17:00　休 無休　C V、M、A　URL www.bridlewoodwinery.com

ソルバングには、本場デンマークの味を伝える職人が作るデニッシュのお店がたくさん。ショップごとに個性あるので、ぜひお試しを。

バラエティ豊かなLAのビーチ ローカルの楽しみ方も様々です

ローカルの人はビーチが大好き

ビーチといえばハワイやアジアのリゾートを思い浮べますが、
LAにも個性的でおしゃれなビーチがたくさん。
地元の人たちにまじってビーチを楽しんで！

LAで一番有名なビーチ

Santa Monica

風が気持ちいい

地元で人気のマンハッタンビーチはサーフィン大会も開かれます

海沿いは豪邸が多いのよ

Manhattan

海沿いの遊歩道は、サンタモニカからベニス・ビーチまで続いています

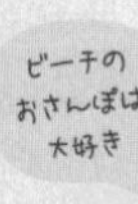

ビーチのおさんぽは大好き

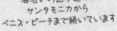

Venice

アクティブなビーチです

カワイイショップやカフェもあります

LAで行ってみたいビーチベスト3

Santa Monica Fwy.
10
サンタモニカ空港
Santa Monica Airport
サンタモニカ・ビーチ
サンタモニカ
Santa Monica
ベニス・ビーチ
ロサンゼルス国際空港(LAX)
Los Angeles International Airport
Sepulveda Blvd.
105
405
マンハッタンビーチ
0
6km

サンタモニカ・ビーチ
Santa Monica Beach

MAP P.72/別冊P.11 B-3

サンタモニカ・ピアを中心に、南北に広がるサンタモニカ・ビーチは西海岸で一番有名なビーチです。ピアの先には遊園地もあり、週末になると縁日のようなにぎわいに。

ベニス・ビーチ
Venice Beach

MAP P.72/別冊P.10 A-3

ビーチバレーのコートや、身体を鍛えるマッスル・ビーチがあるアクティブなビーチ。オーシャン・フロント・ウォーク沿いには露店やカフェが並びパフォーマーも出没します。

マンハッタン・ビーチ
Manhattan Beach

MAP P.72/別冊P.4 F-4

おしゃれなカフェやショップがあり、海沿いには豪邸が建ち並ぶ。犬の散歩やジョギングをする風景が見られるなど、ローカルの人たちの生活の一部になっているビーチです。

オーガニックと坂の街
サンフランシスコ

急坂をゴトゴト走るケーブルカーに乗って美しい街並みをおさんぽしたら、
夜は絶品のシーフードに舌鼓。
ゴールデン・ゲート・ブリッジを自転車で渡ったり、
ひと足のばしてワインの街ナパを訪ねてみたり……。
フェリー・プラザのファーマーズマーケットをのぞくのも楽しいもの。
さあ、サンフランシスコの街へ繰り出しましょう。

サンフランシスコの街はこんな感じです

海に囲まれ、急な坂をケーブルカーがのんびり走るサンフランシスコは、
多様なカルチャーと人種が入り混じり、私たちにさまざまな表情を見せてくれます。
それぞれのエリアの特徴を把握したら、街歩きに出かけましょう。

シーフードレストランや
おみやげ物店が立ち並ぶ
サンフランシスコ随一の観光エリア

1 フィッシャーマンズ・ワーフ
Fisherman's Wharf

アルカトラズ島

ナパ Napa

P.106

全米でいちばん有名なワインの里で、別名「ワインカントリー」。サンフランシスコまで来たら、ぜひ立ち寄ってみたいエリア。

バークレー Berkeley

P.102・104

カリフォルニア大学バークレー校がある大学の街。リベラルな空気に包まれた街で、エコロコンシャスなショップも多い。

ユニオン・スクエアは街の中心。
ノブ・ヒルは高級ホテルが並ぶ閑静なエリア

2 ユニオン・スクエア&ノブ・ヒル
Union Square & Nob Hill

ビクトリアン・ハウスが建ち並ぶ
高級住宅地のパシフィック・ハイツ。
マリーナ・エリアはお買い物が楽しい

3 パシフィック・ハイツ&マリーナ
Pacific Heights & Marina

チェスナッツStと
ユニオンSt界隈をおさんぽ P.84

サウサリート
ゴールデン・ゲート・ブリッジ
フォート・ポイント
101
Marina Blvd.
プレシディオ
Lyon St.
California St.
Park Presidio Blvd.
Arguello Blvd.
Geary Blvd.
Anza St.
Balboa St.
サンフランシスコ大学
ゴールデン・ゲート・パーク
6 ヘイト・アシュベリー
①
スートロ山
ツイン・ピークス

チャイナタウンは全米最大規模。
その北のノース・ビーチは
リトル・イタリーと呼ばれ、
昔ながらの風情ある街並みが広がる

7 チャイナタウン＆ノース・ビーチ
Chinatown & North Beach

ヒッピー文化発祥の地として知られる
ヘイト・アシュベリーはファンキーな空気が
ただようサイケデリックな街

6 ヘイト・アシュベリー
Haight Ashbury

再開発が進行中で、
おしゃれなナイトスポットが点在。
ローカルに人気の高いエリア

8 ソーマ Soma

サンフランシスコ近代美術館

5

ゲイ・コミュニティのある
カストロ。その東に広がる
ミッションは高感度なお店や
レストランが次々と出店する、
ローカル注目のエリア

カストロ＆ミッション
Castro & Mission

ミッションをおさんぽ P.88

San Francisco Bay
フィッシャーマンズ・ワーフ
1
Powell St. Sta.
ギラデリ・スクエア
フォート・メイソン
ロシアンヒル＆
4 テレグラフ・ヒル
Chestnut St.
コイト・タワー
チャイナタウン＆
ノース・ビーチ 7
3 パシフィック
ハイツ＆マリーナ
フェリー
ビルディング
Embarcadero Sta.
Folsom St. Sta.
ベイ・ブリッジ
ユニオン・スクエア＆ 2
ノブ・ヒル
SFMOMA
Brannan St. Sta.
Fillmore St.
ジャパン
タウン
Market St.
8 シーマ
メトロ
2nd & King Sts. Sta.
Civic Center Sta.
シビック・センター
AT&Tパーク
Van Ness Sta.
Folsom St.
4th & King Sts. Sta.
3rd St.
ブエナ・ビスタ・パーク
Church St. Sta.
16th St. Sta.
Castro St. Sta.
カストロ＆ミッション
5
Castro St.
Church St.
Guerrero St.
Mission St.
Biyant St.
Potrero Ave.
22nd St. Sta.

「世界一曲がりくねった坂」で
知られるロンバート・ストリートと、
坂の上から見る海の景色に感激

4 ロシアンヒル＆テレグラフ・ヒル
Russian Hill & Telegragh Hill

ロンバート・ストリート P.79

サンフランシスコのベイエリアって？

サンフランシスコを紹介する際によく使われる「ベイエリア」という言葉。これは、サンフランシスコの街を中心に、対岸のオークランド、南岸のサンノゼなども含む、サンフランシスコ湾岸地域のことを指します。

旅のしおり

ファーマーズ・マーケットにケーブルカー……サンフランシスコの楽しさ満載の1日プラン

エリアごとにさまざまな顔を見せるサンフランシスコ。
定番の観光地は見逃せないけれど、ローカルに人気のエリアものぞいてみたい。
そんな欲ばりな女性におすすめの1日プランをご紹介しましょう。

サンフランシスコの盛りだくさんな1日

観光地からローカルに人気のスポットまでをおさんぽします

8:30 ファーマーズ・マーケットからおさんぽをスタート。マーケットのない日は、フェリー・ビルディング➡P.83で朝食&ショッピングがおすすめ

10:30 ダウンタウンのケーブルカー乗り場まで歩きます

11:00 ケーブルカーでロンバード・ストリートへ

11:30 ロンバード・ストリートを下って、そのままパウエル・ストリートまで歩きます

12:00 きれいな街並みを写真におさめたら、歩いてフィッシャーマンズ・ワーフへ

12:30 フィッシャーマンズ・ワーフに到着

13:00 ボウディンでクラムチャウダーのランチ

近郊の農家などが出店するファーマーズ・マーケット➡P.82には新鮮な野菜や果物がいっぱい

オーガニックのメキシカン。ローカルに人気の朝食なんです

これが名物のケーブルカーです！

ノスタルジックなケーブルカーに揺られて、のんびり進みます➡P.78

ねぇ、海まできれいに撮れている？

ロンバード・ストリートに到着➡P.79。評判通りのくねくね道です

美しい建物をバックに記念撮影➡P.79

フィッシャーマンズ・ワーフはこの街随一の観光名所➡P.79

ボウディン➡P.80で、酸味のあるパンに入ったクラムチャウダーに舌鼓

14:00 ミュニバス30番でチェスナッツ・ストリートへ

15:00 チェスナッツ・ストリートとユニオン・ストリートをおさんぽ

地元女子に人気のセレクトショップ、デ・ノボP.84でショッピング

ラリーンP.84はイスラエル発のスキンケア・アイテムのショップです

シンプリー・シークP.85は、高級ブランドのリサイクルショップ。素敵な出会いが待っているかも

16:00 パシフィック・パフでひと休み

16:30 ミュニバス45番でダウンタウンへ。ユニオン・スクエア周辺を散策

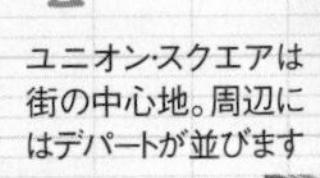

パシフィック・パフP.85は、ホームメイドのシュークリーム店。コーヒーもあってイートインもOK

ユニオン・スクエアは街の中心地。周辺にはデパートが並びます

18:30 ミュニバス21番でアラモスクエアのあたりへ。美しいビクトリアン・ハウスの街並みを写真におさめたら、予約をしておいたレストラン、ノパへ

ローラーブレードで犬の散歩よ

ユニオン・スクエア近くのフレッシュP.91は、自然素材を使ったアイテムが揃っています

19:00 ノパでディナー

21:00 タクシーでホテルへ

ノパは人気のオーガニックレストランP.94。開店するや、みるみる席が埋まりました

あひるのもも肉のローストは、人気のひと皿。さらりとお腹に収まります

今日のごほうび

観光にショッピングにグルメにと盛りだくさんな1日。おみやげもいろいろ手に入れました

おいしかったのはコレ!

ファーマーズ・マーケットのチェリーは甘味と酸味が絶妙

レースのトップスは、鮮やかな赤がお気に入り$55

フレッシュのリップトリートメントは唇がしっとり$24

お気に入りの1枚

ファーマーズ・マーケットで出会った農園の少女

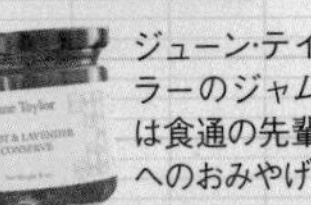

ジューン・テイラーのジャムは食通の先輩へのおみやげ

名物のケーブルカーに乗って美しい街並みをおさんぽしましょう

ノスタルジックなベルの音を響かせながらコトコト走るケーブルカーは、サンフランシスコを訪れたら一度は乗ってみたい街の名物。沿線には思わずカメラを向けたくなる美しい風景が広がっています。

街中をガタゴト走っているのは、世界最古のケーブルカー

サンフランシスコのケーブルカー物語

140年以上も昔のこと。霧の深い冬の夜に馬が坂道で足を滑らせ、馬車が乗客もろとも急坂を転げ落ちるという事故がありました。それを偶然目撃したエンジニアのA.S.ハリディーは、ケーブルを使った安全な乗り物を作ろうと決意。1873年に、ケーブルカーを完成させました。以後ケーブルカーは隆盛を極めましたが、バスなどの登場や大地震で衰退。幾度も廃止の話が持ち上がりました。しかし、市民の反対運動により存続が決まり、今も人々に親しまれています。

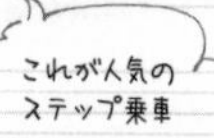

ケーブルカー
Cable Car MAP 別冊P.20 D-1

営6:00頃〜翌1:00頃　料$7（1日券$13）
URL www.sfcablecar.com

サンフランシスコのケーブルカーには、パウエル-ハイド線Powell-Hyde Line、パウエル-メイソン線Powell-Mason Line、カリフォルニア線California Lineの3つがあります。ここでは観光に便利なパウエル-ハイド線とパウエル-メイソン線をご紹介します

交通量の多いダウンタウンも、マイペースで走る

この看板のある場所が、ケーブルカーの停留所

脱獄不可能な刑務所？

サンフランシスコ湾に浮かぶアルカトラズ島は、凶悪犯を収監していたかつての刑務所。潮流が強く、水温も低いため脱獄は不可能といわれていました。MAP 別冊P.18 D-1

フィッシャーマンズ・ワーフを観光
Fisherman's Wharf

サンフランシスコの代表的な観光スポット。カニが描かれたシンボル・タワー周辺には、ゆでたてのカニやエビを食べさせてくれる屋台がいっぱい

華やかな街並みをバックに記念撮影
Lombard St & Powell St

サンフランシスコには、出窓や塔、急勾配の屋根などを持つヨーロピアンスタイルの家が多い。瀟洒な家々を見ながら散策を

正面にアルカトラズ島が見えます

サンフランシスコ湾を一望
Francisco St & Hyde St

フィッシャーマンズ・ワーフから乗った場合は、うしろのデッキに陣取るのがおすすめ。坂の途中までくると、サンフランシスコ湾が目の前に広がる。カメラを忘れずに

ビルの合間にベイ・ブリッジが見えます

ダウンタウンの高層ビルを望む
California St & Powell St

ダウンタウンが近づくと、景色は一気に近代的になる。高層ビルが建ち並び、交通量も急増。ビジネス街の一面をのぞかせる

ロンバード・ストリートを歩く
Lombard St

わずか200mほどの距離に8つの急カーブが連なり、「世界一曲がりくねった坂」と言われるロンバード・ストリート。急勾配の坂の両端には階段があるので下りてみよう

ユニオン・スクエアでひと休み
Union Square

1850年代に造られた街の中心で、市民の憩いの場。1年を通して多くのイベントが行われるほか、周辺には有名デパートやブランド・ショップが並ぶ

ケーブルカーは混んでいて途中乗車できない場合もあります。確実に乗るには、終点（起点）のPowell St駅、Beach St駅、Bay St駅で待ちましょう。

ゴールデン・ゲート・ブリッジを渡って サウサリートまでサイクリング

1937年に完成したゴールデン・ゲート・ブリッジは、世界に名だたる美しい橋。全長2737mの橋は歩いても40分ほどで渡れますが、おすすめはサイクリング。フィッシャーマンズ・ワーフで自転車を借りて、爽快なサイクリングを楽しみましょう。

1 橋のたもとにあるパーキングは絶好の撮影ポイント　2 サイクリングは女性にも大人気　3 対岸から見るサンフランシスコの街

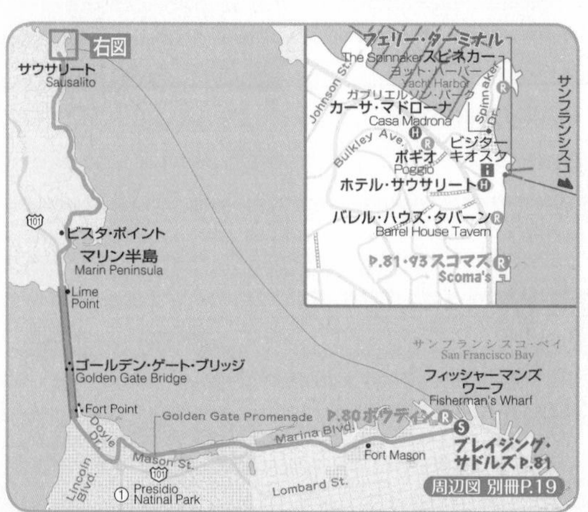

まずはクラムチャウダーをいただきます

Start

ボウディン　Boudin

1849年創業のベーカリー。カフェやレストランのほか、おみやげコーナーやミュージアムもある。

MAP P.80/別冊P.20 D-1

所160 Jefferson St　交ケーブルカーPowell-Mason線Taylor ＆ Franciscoから徒歩10分　☎415-928-1849　営8:00～21:30（金・土曜～22:00）　休無休　CV、M　URL www.boudinbakery.com

酸味のあるパン、サワドー・ブレッドに入ったクラムチャウダーが人気

ぐるっと回って――3時間

サイクリングのアドバイス

自転車はフィッシャーマンズ·ワーフで借りるのが便利。ここから橋のたもとまではほぼ平坦な道を自転車で30分ほど。橋自体は10分ほどで渡れます。橋の上はスピードを出している自転車も多いので注意しましょう。

レンタサイクルはこちら

さまざまな自転車が揃うブレイジング·サドルス。MAP P.80/別冊P.20 D-1レンタル料はポピュラーなタイプで約$32フェリーチケット付き。詳細はURL www.blazingsaddles.comで。

動きやすい
服装で
チャレンジしてね

フィッシャーマンズ·ワーフをスタート

自転車を借りてスタート。レンタサイクルについてくるヘルメットは必ずかぶろう

橋のたもとに到着

30分ほどで橋のたもとに到着。橋に続くNortheast Side Parking Lotでは、橋をバックに記念写真を

橋を渡ります

平日は歩行者も自転車も東側通路を使うが、週末は自転車は西側通路の走行となる

ビスタポイントでひと休み

橋をわたりきったところにある展望台からは、サンフランシスコの高層ビル群がきれいに見える

サウサリートに到着

下り坂を一気に下ればサウサリート。地中海沿いを思わせる美しい風景が広がる

サウサリートから見た海の風景

スコマズというかわいいレストランを発見

サウサリートのフェリー·ターミナルから徒歩8分ほどの場所にある

スコマズ Scoma's

老舗のシーフード·レストラン。眺望のよさも魅力。

MAP P.80

P.93

帰りはフェリーに乗ってフィッシャーマンズ·ワーフへ

海からの景色を楽しみながらフィッシャーマンズ·ワーフへ。フェリー·ビルディングへ行く船もある

フェリー情報はこちら

フェリーの時刻表や料金などは下のアドレスで確認しておこう

料ゴールデンゲート·フェリー$11.25
ブルー &ゴールド·フリート$11
URL goldengateferry.org
URL www.blueandgoldfleet.com

サンフランシスコ市とオークランド市を結ぶベイブリッジ MAP 別冊P.18 F-2 は、ゴールデン·ゲート·ブリッジと並ぶ街のランドマークのひとつです。

ファーマーズ・マーケットで サンフランシスコの自然派の暮らしに触れてみましょう

フェリー・プラザは土曜ともなると朝から家族づれなどで大にぎわい。
オーガニックの野菜や果物、はちみつなどのお店がたくさん並ぶからです。
ちょっと早起きをして、グルメ・ハンティングに出かけましょう。

近郊のオーガニックファームが出店しています

農家の人たちとのやりとりも楽しい

近郊農家の新鮮野菜はローカルに大人気

色どり鮮やかな野菜はとてもおいしそう

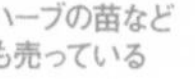

ハーブの苗なども売っている

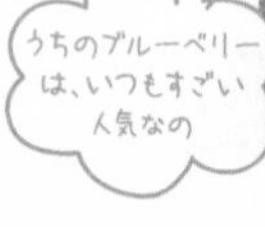

うちのブルーベリーは、いつもすごい人気なの

アメリカンダークチェリーやラディッシュは、その場で食べられるので、観光客にも人気

「今日は家のお手伝い」と接客に忙しい女の子

家族連れがいっぱいです

土曜日はお店がたくさん出ていて楽しいわ

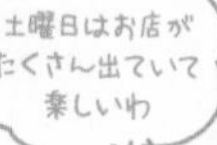

フェリー・プラザ・ファーマーズ・マーケット

Ferry Plaza Farmers Market

近郊の農家やレストランなどの屋台が軒を連ねる。とくに土曜日は出店数も多く、ローカルと観光客でいっぱい。グリーンなおみやげ探しにもぴったり。

MAP 別冊P.20 F-2　フェリー・ビルディング

所フェリー・ビルディング前　交ユニオン・スクエアから徒歩20分
☎415-291-3276　営火・木曜10:00～14:00、土曜8:00～14:00
休月・水・金・日曜　C店舗により異なる
URL www.cuesa.org

マーケットに来たら 体にやさしい朝食でスタートしましょ

レストランやベーカリーも出店しています。ベンチやテーブルもあるので朝食はこちらで！

ひとついかが？
甘くて、とってもおいしいわよ

フェリーの発着所

1898年に完成したフェリー・ビルディングは、街の交通拠点として繁栄した場所。ショッピングセンターとなった今も、フェリー発着所として利用されています。

Primavera

ローカルが大好きなメキシカン。いつも長蛇の列ができている。土曜のみ出店

Della Fattoria

小麦粉からナッツやフルーツまで100％オーガニックのパンを提供。土曜のみ出店

フェリー・ビルディングにもオーガニックなお店がいっぱい

ビル1階のマーケットプレイスには、オーガニックや地産地消にこだわるフード店や環境にやさしい雑貨のお店など、品質に定評のあるショップが集まる。

職人の手作りチーズが並ぶCowgirl Creamery's Artisan Cheese

園芸用品や日用雑貨が揃うThe Gardener

はちみつや蜜蝋のキャンドルを扱うbeekind

農家直送の おみやげはいかが？

農家や工房の人たちが手作りしたはちみつやジャム、チーズなどはおみやげにしたら喜ばれそう。

ウチのはオーガニックのはちみつなんだ
FERRY PLAZA FARMERS MARKET

Marshall's Farm Natural Honey

上質なグルメハチミツを収穫・販売。クマの容器のハチミツ各$4。木・土曜出店

Achadinha Cheese Company

ヤギのチーズの専門店。頼めば、どれでも試食させてくれるので、味見をしてみて。木・土曜出店

ジューンの手作りなんですよ
June Taylor

June Taylor Company

家族経営の農場で、季節の果実から作るマーマレードは大人気。土曜のみ出店。

フェリー・ビルディング
Ferry Building

MAP 別冊P.20 F-2　フェリー・ビルディング

所One Ferry Building　交ユニオン・スクエアから徒歩20分　☎415-983-8030　営10:00～18:00（土曜は9:00～、日曜は11:00～17:00、店舗により異なる）　休無休　C店舗により異なる
URL www.ferrybuildingmarketplace.com

フェリー・ビルディングの西側に広がるファイナンシャル・ディストリクトは、銀行や証券取引所などが建ち並び、西海岸のウォール街と呼ばれています。

チェスナッツSt &ユニオンSt界隈は ワクワクのショッピング・ストリートです

北部のパシフィック・ハイツ&マリーナ地区のチェスナッツ・ストリートとユニオン・ストリートは、地元の女性に人気のセレクトショップや古着屋、カフェが軒を連ねています。ローカルな雰囲気を味わいながら、お気に入りを見つけてみませんか。

Chestnut St.界隈

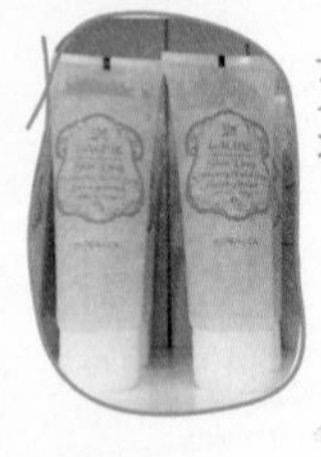

アロエベラとホホバオイルが入ったムースクレンザーオイル$29.45

肌にやさしい死海の塩のスクラブ

お店のスタッフも着ているエプロン

A ラリーン Laline

イスラエル発のスキンケア・アイテム

ナチュラル志向の商品は、どれも肌にやさしい使い心地。スキンケア雑貨もかわいいものが揃う。

MAP P.84/別冊P.23 A-1　パシフィック・ハイツ

所2106 Chestnut St　交ミュニバス30番Chesthut St & Pierce Stから徒歩3分　☎415-292-9971　営10:00～20:00(金・土曜～21:00)　休無休　CV、M　URL www.lalineusa.com

うーん、歩いているのもおしゃれな子が多いなぁ

ちょっとレトロなトルソーにもアクセが

レースのトップスは鮮やかな赤がキレイ$55～

ペパーミントグリーンが美しいブレス$35～

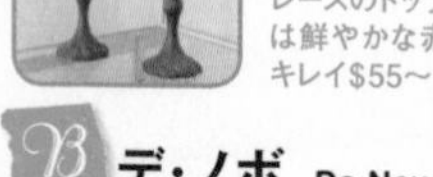

B デ・ノボ De Novo

セレクトの基準は「かわいい!」

アメリカのデザイナーの洋服が主。色鮮やかなものが多いが、日本人の肌色に映えるアイテムもあり、人気は高い。

MAP P.84/別冊P.23 A-1　パシフィック・ハイツ

所2230 Chestnut St　交ミュニバス30番Chestnut St & Pierce Stからすぐ　☎415-563-3114　営10:00～19:00(日曜～18:00)　休無休　CV、M　URL www.denovosf.com

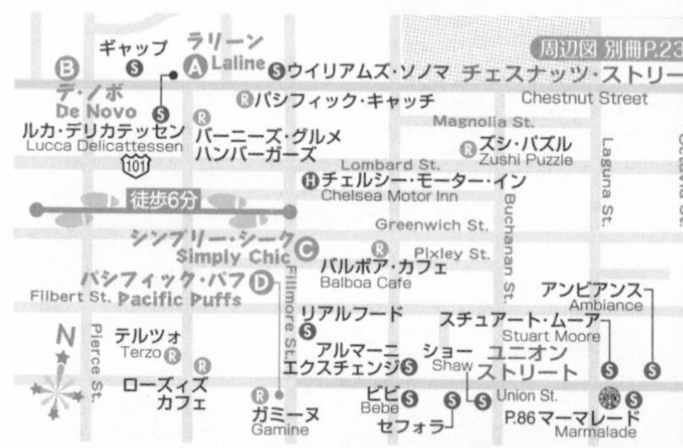

ぐるっと回って──120分

チェスナッツSt & ユニオンStへのAccess

チェスナッツStへはミュニバス30番Chestnut St & Mallorca Way下車、ユニオンStへはミュニバス45番Union St & Laquna St下車が便利。ユニオンStはチェスナッツStの4ブロック南で、徒歩約7分の距離です。

フィルモアStもおすすめ

チェスナッツStやユニオンStと垂直に交わるフィルモアStにも雰囲気のいいカフェやおしゃれなショップが並んでいます。時間が許せば足をのばしてみて。

Union St.界隈

1ラリーンの店内　2チェスナッツStのプラントはオーガニックのメニューが人気　3パンがおいしいユニオンStのラ・ブーランジェ　4シンプリー・シークの店内　5このあたりは地元女子のお買い物エリア　6ユニオンStのマーマレード→P.86も人気店　7チェスナッツStのデ・ノボ　8ヴィンテージ風のアクセサリーも豊富なシンプリー・シーク

C シンプリー・シーク Simply Chic

ブランド品をリーズナブルに

トップブランドのリサイクルショップ。人気ブランドの服やバックが手軽な価格で手に入る。日本人スタッフも常駐。

MAP P.84/別冊P.23 B-2　パシフィック・ハイツ

所3038 Fillmore St　交ミュニバス45番Union St & Fillmore Stからすぐ　☎415-775-2888　営11:00～18:00(日曜12:00～17:00、月曜～17:30)　休無休　C A、V、M、J　URL www.simplychicsf.com

ダイアン・フォン・ファスティンバーグのワンピース$50

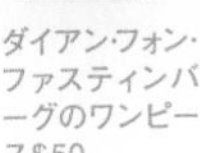

グッチのボストンバッグ$500

落ち着いた雰囲気のドレス$700

D パシフィック・パフ Pacific Puffs

ホームメイドのシュークリーム

母親の手作りシュークリームのレシピを再現。フワフワのシューに、地元産の新鮮なミルクから作るクリームがたっぷり入る。

MAP P.84/別冊P.23 B-2　パシフィック・ハイツ

所2201 Union St　交ミュニバス45番Union St & Fillmore Stからすぐ　☎415-440-7833　営11:00～19:00(金・土曜～20:00、日曜～18:00)　休無休　C V、M　URL www.pacificpuffs.com

左はバニラ。右はチョコをかけたクラシック

店の前の手書きの看板もどこか懐かしい感じ

コーヒーも販売。店内のテーブルでイートインもOK

ユニオン・ストリートへは、ケーブルカーのパウエル-ハイド線に乗って、Union St & Hyde Stあたりで降りても行けます。

キュート派もクール派も お気に入りがきっと見つかるセレクトショップ

セレクトショップといっても、バイヤーの審美眼で品揃えはさまざま。
だから、それぞれテイストの異なる人気のショップを選んでみました。
掘り出し物をみつけてくださいね。

Cute

ボヘミアン・テイストが人気

マーマレード
Marmalade

LA発のブランドを中心にセレクト。甘辛加減が絶妙で、少しボヘミアン・テイストの効いたウエアが地元女性に人気。このあたりでは手ごろな価格帯も魅力。

MAP P.84/別冊P.23 C-2 パシフィック・ハイツ

所1843 Union St 交ミュニバス45番Union St & Laguna Stからすぐ
☎415-757-8614 営11:00～19:00（日曜～18:00） 休無休 ©V、M、A
URL www.marmaladesf.com

ナチュラルカラーのタンクトップ$48

品のいい甘辛ミックスのドレスや雑貨が勢揃い

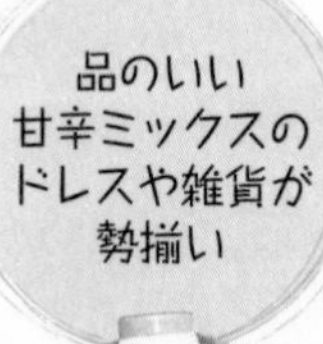

かわいいけどカジュアルなのが人気の秘密よ

結び方でアレンジがきく革のベルト

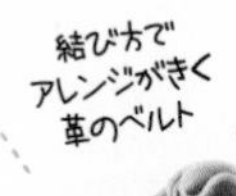

モードっぽくなりすぎない普段着感覚が素敵

Gジャンにふんわりワンピを合わせて

シャツ$58、スカート$48

日本人にも合う小さめサイズを多く揃えている

ヴィンテージや古着ならこちらがおすすめ！

カラフルな赤ちゃん用のブランケット

ヴィンテージのネックレスは繊細な感じ$60

古時計を再利用したペンダントは地元デザイナーの作品$40

生活雑貨もいろいろあって、おみやげにも

ヴィンテージの雑貨がいろいろ

タイムレス・トレジャース
Timeless Treasures

アクセサリーやグラス、ランプ、おもちゃなど、店内はまるで宝箱のような楽しさ。ラインナップも豊富で宝探し気分になれる。

MAP 別冊P.21 C-4 ユニオン・スクエア

所568 Hayes St
交ミュニバス21番Hayes St&Laguna Stからすぐ
営11:00～18:00（日曜12:00～17:00） 休月曜
©V、M URL www.timelesstreasuressf.com

ジーンズのルーツ、リーバイス

リーバイスの本拠地となるリーバイ・ストラウス社の本社は、サンフランシスコにあります。エントランスに設けられたリーバイス・プラザでは、150年以上にもわたるジーンズとリーバイスの歴史を知ることができます。URL us.levi.com MAP 別冊P.20 E-1

Cool

上質でセンスのいい品物が並ぶ店内

シンプルだけどどこかホッとするデザイン

シンプルだけどフォルムや質感が素敵

防水加工を施したハンドメイドのポーチ$14〜

使い勝手がよさそうなシンプルなトート$160

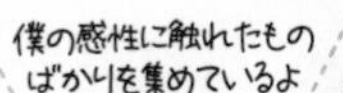

僕の感性に触れたものばかりを集めているよ

バイヤーでデザイナーでもあるロバート

デニム地のジャケットは男女兼用$229

個性がキラリと光る洋服がいっぱい

見て! 恋人が腰に手を回したときに入れられるポケットなんですって

春らしいガウチョパンツは$109

スタイリッシュな品揃えが魅力

ヴォイジャー・ショップ

The Voyager Shop

オーナーのロバートが選ぶアイテムはハイクオリティ＆ハイセンス。クールだけれどかわいらしいアイテムが揃い、ファンも多い。

MAP P.88/別冊P.24 B-1 ミッション

所365 Valencia St 交バート16th St Mission駅から徒歩6分 ☎415-795-1748
営11:00〜19:00 休無休 C V、M
URL thevoyagershop.com

全米に29店舗を展開する大手古着店

クロスローズ・トレーディング

Crossroads Trading

状態が良くてかわいい洋服が、所せましと並ぶ。高級ブランドの古着や小物も扱っているので、思いがけない掘り出し物に巡り会えるかも。

MAP 別冊P.23 B-4 パシフィック・ハイツ

所1901 Fillmore St 交ミュニバス2・3番Fillmore St & Pine Stから徒歩2分 ☎415-775-3282
営11:00〜20:00（日曜〜19:00） 休無休 C V、M
URL crossroadstrading.com

フィフティーズ風の水玉柄パンプス$10.50

すてきな物を見つけてね

レトロな雰囲気がかわいいワンピ$10.50

ニット風のワンピは着ごこちがよさそう$15

2つのデパートが入るショッピングモール、ウエストフィールド・サンフランシスコ MAP 別冊P.22 B-3の地下には大きなフードコートがあります。

地元女子注目のエリア、ミッションでローカル気分を味わってみましょう

サンフランシスコ最古のミッション・ドロレス教会が立つミッション地区は
センスのいいショップや居心地のよいカフェなどが次々と出店しているローカル注目のエリア。
サンフランシスコの"旬"をみつけに行ってみませんか。

Mission

公園でパパと遊ぶのが大好き
ACCIDENT & ARTIFACT

バレンシア・ストリートはミッションの人気ストリート

ドロレス・パーク MAP 別冊P.23 A-3はローカルの憩いの場

1 ヴォイジャー・ショップ The Voyager Shop

クール&キュートな品揃え

洋服から生活雑貨まで揃うセレクトショップ。細部にまでこだわった洋服やシンプルだが形が面白い雑貨など、ユニークなアイテムが並んでいる。

MAP P.88/別冊P.24 B-1

P.87

2 フォーバレル Four Barrel

焙煎したてのコーヒーを

焙煎したての深い味わいのコーヒーが美味。広々とした店内では、愛犬とともにコーヒーを楽しむお客さんもいて、犬好きが多いサンフランシスコらしい。

MAP P.88/別冊P.24 B-1

P.97

ぐるっと回って 120分

ミッションへのAccess

バートの16th St Mission駅か24th St Mission駅が便利。ドロレス・パークへはミュニメトロのChurch & 18th St駅も近い。ミュニメトロのCastro駅で下車し、ミッション・エリアへ向かうのもおすすめです。

映画を見ながらディナーを

ミッションにあるフォーリンシネマは、料理の約80%がオーガニックという素材にこだわったカリフォルニア料理の店。中庭の白壁に名画を上映する趣向も人気です。

URL www.foreigncinema.com MAP 別冊P.24 B-3

1 2 宝探し気分が味わえる、雑貨であふれたニードルス・アンド・ペンズの店内。ブレーシーはオーナーのひとり 3 セラピーはオレンジ色の看板が目印

4 ニードルス・アンド・ペンズ Needles and Pens

地元デザイナーの作品がいっぱい

洋服やアクセから本、雑貨まで並んだ店内は見ているだけで楽しい。アート系のZINEなど、ここでしか買えないものも多い。

MAP P.88/別冊P.24 B-4

所 1173 Valencia St ☎415-255-1534
営 12:00 ～ 19:00 休 無休 C V、M
URL www.needles-pens.com

シンプルだけど個性がキラリと光るワンピ$120

存在感のあるペンダントはデザイナーの手作り

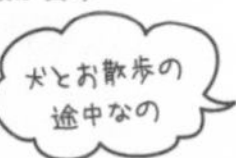

犬とお散歩の途中なの

3 タルティーヌ・ベーカリー Tartine Bakery

いつも長蛇の列

パンがおいしいと評判のカフェ&ベーカリーで、食材はオーガニックにこだわっている。人気のデザートは、フルーツたっぷりのパンプディング。

MAP P.88/別冊P.24 B-2

P.99

バッグに入る小型のミラー $12

パッキングがかわいいキッチンタオル$16

5 セレンディピティ Serendipity

ユニークなカードと雑貨の店

小さな店内には楽しい絵柄のカードや雑貨がいっぱい。「カードを探すならここ」と話す地元の女性も少なくない。おみやげ探しにも。

MAP P.88/別冊P.24 B-3

所 803 Valencia St ☎415-401-8760
営 11:00～20:00（土曜～19:00、日曜～18:00）
休 無休 C V、M
URL www.serendipitysanfrancisco.com

6 セラピー Therapy

おしゃれなアイテムが並ぶ

ベイエリアに9店舗を展開。遊び心あふれるアイテムから実用性の高い小物まで、カジュアルな商品が並ぶ。

MAP P.88/別冊P.24 B-2

所 545 Valencia St ☎415-865-0981
営 12:00～21:00（金・土曜10:30～22:00）
休 無休 C V、M
URL www.shopattherapy.com

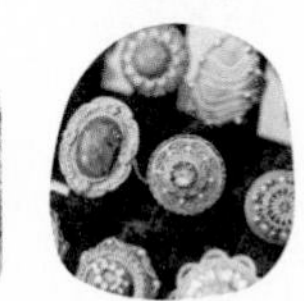

ヴィンテージっぽい感じのリング$34～

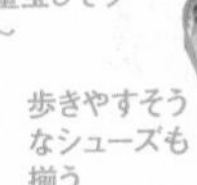

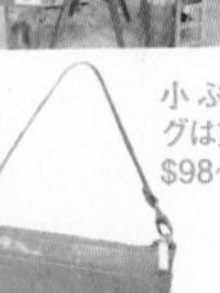

小ぶりのバッグは重宝しそう $98～

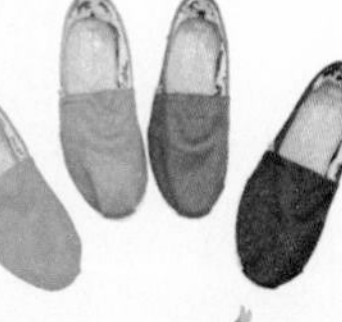

歩きやすそうなシューズも揃う

ドロレス・パーク近くの18th St沿いにあるバイライト・クリマリー MAP 別冊P.24 A-2 は大人気のアイスクリームショップです。

おしゃれガールズ御用達 西海岸発のオーガニック・コスメ

素肌にやさしくて、お肌の調子をきちんと整えてくれる——そんなオーガニックなスキンケア・アイテムがサンフランシスコでも急増中。コスメ好きの人へのおみやげにもぴったりです。

オリーブ農園が作るナチュラルなスキンケア・アイテム

3つの香りが揃ったソルト・スクラブは穏やかな使い心地$28

ハンド・アンド・ボディ・ローション、ソープ、リップバームのセット$26

農園でていねいに作っているから安心よ

笑顔がすてきなショップ・スタッフが親切に対応してくれる

全米から集められたナチュラル系のアイテムがいろいろ

ココナッツ、ヘーゼル、ホホバオイルをブレンドしたナチュラルなクレンジングオイル$25

サンフランシスコ発のオーガニックコスメ「ジューシービューティ」のモイスチャークリーム$45

100パーセントオーガニックのスキンケアメーカーが勢揃い!

スタッフの女性は、お客さんが連れてきた愛犬にもとても親切

酒、大豆、シュガー…食品を用いた肌に優しいコスメが人気

唇に潤いを与えながら、ほのかに色づくリップトリートメント$24

解毒作用と発汗作用に優れた日本酒の入浴剤。柔らかな香りも◎$82

大豆を使った肌にやさしい洗顔料で、どんな肌質の人にもOK $38(大)

白を基調にしたおしゃれな外観。さほど大きくはないので見逃さないで

コスメ専門のデパートも

ユニオン・スクエア近くのパウエルSt沿いにあるセフォラは、オーガニック・コスメはもちろん、ビューティ関連の人気ブランドが揃っています。いろんなブランドが比較できて、便利ですよ。

ショップはフェリービルディングの1階にある

ミキボイ・ランチ
Mcevoy Ranch

肌にやさしいオーガニック・オリーブ・オイルを使用

オーガニックのオリーブオイルを使って手作りされたボディケア・アイテムが人気。ボディ・バームをはじめ12アイテムを揃えるが、人気はハンドクリームとリップバーム。乾燥が激しい冬でもしっとりすると評判。

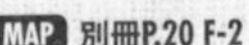 別冊P.20 F-2　　フェリー・ビルディング

所One Ferry Building　交ユニオン・スクエアから徒歩20分
☎415-291-7224　営9:00 ～ 19:00（土曜8:00 ～ 18:00、日曜10:00 ～ 17:00）　休無休　C V、M、A　URL www.mcevoyranch.com

おしゃれな店が並ぶフィルモアStでもひときわ目立つ外観

クレード
Credo Beauty

ナチュラル系のアイテムのセレクト・ショップ

米国内のナチュラル系スキンケア、コスメを揃えたお店。サンフランシスコ・メイドの商品も多く、おしゃれなデザインのパッケージも人気だ。親切なアドバイザーが、ブランドの説明はもちろんメイクもやってくれる。

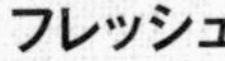 別冊P.23 B-3　　パシフィック・ハイツ

所2136 Fillmore St　交ミュニバス3番Fillmore&Sacramentoからすぐ　☎415-885-1800　営11:00～19:00（日曜～18:00）
休無休　C V、M、A　URL http://credobeauty.com/

ユニオン・スクエアにあるショップは品揃えも豊富

フレッシュ
Fresh

世界中にファンがいる人気ブランド

1991年に誕生したフレッシュは、ナチュラル素材を使ったスキンケア・アイテム・メーカーのパイオニア的存在。2000年に、ルイ・ヴィトンなどで知られるLVMHグループの傘下に入る。世界各国にファンを持つ人気ブランド。

MAP 別冊P.22 B-2　　ユニオン・スクエア

所301 Sutter St　交ユニオン・スクエアから徒歩5分
☎415-248-0210　営10:00～19:00（木曜～20:00、日曜11:00～18:00）
休無休　C V、M　URL www.fresh.com

ミキボイ・ランチにはスキンケア・アイテムだけではなく、農園が作る上質のエクストラ・バージン・オリーブ・オイルも揃っています。

海沿いのナイスビューレストランで絶品シーフードをいただきます

三方を海に囲まれたサンフランシスコに来たら、
やっぱりシーフードは欠かせません。
海の見える絶景レストランなら、おいしさも倍増ですね。

ベイブリッジを見上げる迫力の眺望

1 ベイブリッジを間近に見上げる、人気のテラス席
2 ハッピーアワーには、近隣の会社に勤めるビジネスパーソンがいっぱい

おすすめMENU
・グリルド・アヒツナ$39
・オクトパス・カルパッチョ $16

ソフトシェルクラブはローカルも大好き

迫力満点のクリスプ・ソフトシェル・クラブ

新鮮だから刺身でもおいしいです

カリフォルニア・サーモンの刺身

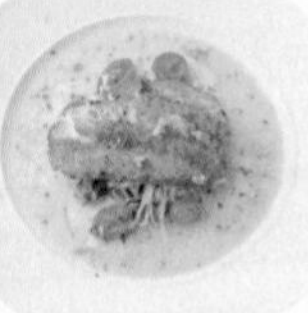

地元産タラの野菜添えは色がキレイ

ウォーターバー Waterbar

ベイブリッジのたもとにあって眺望は抜群。レンガ造りのレトロな建物もいい。新鮮な魚介や地元産のオーガニック食材を使った料理は、ローカルにも評判。カキが$1で食べられるハッピーアワーも見逃せない。

MAP 別冊P.20 F-3 ☎ フェリー・ビルディング

所399 Embarcadero
交ミュニメトロN、K、T線EmbarcaderoまたはFolsom St駅からすぐ ☎415-284-9922
営11:30～22:00（日・月曜～21:30、ハッピーアワーは毎日～17:30）
休無休 ⒸV、M、A URL www.waterbarsf.com

魚介がおいしいのは？

サンフランシスコの西側に広がる太平洋には、寒流と暖流がぶつかる地点があります。そこでは海水が深層から表層にわき上がり、大量のプランクトンが発生。エサが増えることで魚や甲殻類が多く集まり、よい漁場となっています。

カジュアルに楽しむならこちらへ

お揃いの紺のTシャツ着たお店のスタッフ。みんな明るくて親切

店名が示すように、ここの生ガキは新鮮でおいしい

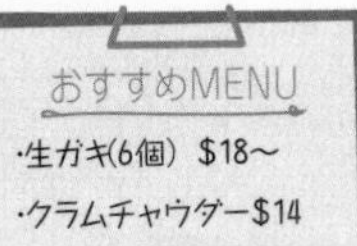

おすすめMENU
- ・生ガキ(6個) $18〜
- ・クラムチャウダー$14

クラムチャウダーもおすすめ

開店直後から多くの人が

ホグ・アイランド・オイスター・カンパニー
Hog Island Oyster Co.

生ガキがおいしい人気店。目の前にサンフランシスコ湾を望むテラス席は開放感たっぷりで、夏場はとくに、オープンするとすぐにいっぱいになってしまう。早めに行くのがおすすめだ。クラムチャウダーもコクがあっておいしい。

MAP 別冊P.20 F-2　フェリー・ビルディング

所1 Ferry Bldg　交ユニオン・スクエアから徒歩20分　☎415-391-7117
営11:00〜21:00(金曜〜22:00、土曜11:00〜22:00、日曜11:00〜)
休無休　C V、M　URL www.hogislandoysters.com

ダウンタウンを望む ロマンチックなレストラン

ブルーと白のかわいい外観

新鮮な魚介を使った伝統料理

料理長(左) とオーナーのシェリル

おすすめMENU
- ・ダンジェネスクラブ$36
- ・レイジーマンズ チョッピー$39

スコマズ Scoma's

ヨーロッパのリゾート地を思わせる、サウサリートの海沿いに立つ。新鮮な魚介と心温まるサービスが魅力の人気店だ。おすすめはカニやエビなどの魚介がたっぷり入ったスープで、シーフードの旨みがギュッと凝縮されている。

MAP P.80 ☎ J　サウサリート

所588 Bridgeway, Sausalito　交サウサリート・フェリーターミナルから徒歩6分　☎415-332-9551　営11:30〜21:00(金・土曜〜22:00)
休11〜3月の火曜　C V、M　URL scomassausalito.com

オーナーは異なりますが、フィッシャーマンズ・ワーフにもスコマズの姉妹店があります。MAP 別冊P.20 D-1

オーガニックの街サンフランシスコで人気のヘルシー・レストラン

「食都」としても知られ、グルメなレストランが多いサンフランシスコ。
そのなかにあって、高感度なローカルが好んで足を運ぶのがグリーンなレストランです。
注目株はこの3軒。食都の実力を実感してみてください。

1

2
3
4

5

6

高感度な人々が集まる
超人気のレストラン

ノパ Nopa

サンフランシスコでも予約の取りにくいレストランとして知られる。メニューはいずれも飾り気がなくシンプル。しかし、地元産の季節の食材を薪火でていねいに調理するそれらの料理は、舌に優しく味わい深い。カクテルも人気。

MAP 別冊P.21 B-4　アラモ・スクエア

住560 Divisadero St　交ミュニバス21番Divisadero St & Hayes Stからすぐ　☎415-864-8643　営17:00～翌1:00（バーは17:00～、土・日曜のバー 11:00～、ブランチは土・日曜11:00～14:30）　休無休
CV、M　URL www.nopasf.com

おすすめMENU

- ポークチョップ$26
- グラスフェドハンバーガー $14
- 魚の薪ロースト野菜添え $25

1オーガニックの食材はもちろん、自然木を使ったナチュラルな調理方法にもこだわる　2トウモロコシ粉で作ったショートケーキ$10　3野菜とチーズのサラダ$11　4オープンするとすぐに人でいっぱいに　5バーカウンターも人気　6チェリーのタルト$10

野菜が主役の洗練された料理

ユニオン・スクエアのサンズ&ドウターズは、自社農場のオーガニック野菜や果物をふんだんに使った美しい料理で人気。URL www.sonsanddaughterssf.com MAP 別冊P.22 A-1

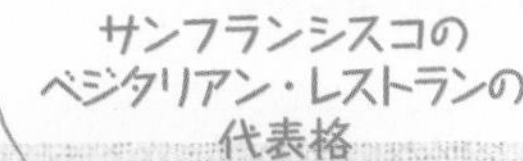

サンフランシスコの
ベジタリアン・レストランの
代表格

グリーンズ・レストラン
Greens Restaurant

小規模農家やファーマーズマーケットで揃える食材は、ほとんどオーガニック。見た目はシンプルだが、料理はいずれも素材の味がきちんと引き出されていておいしい。お腹も気持ちも満たされる。

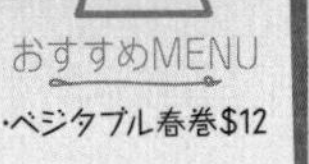

おすすめMENU
- ・ベジタブル春巻$12
- ・ワイルドマッシュルームサンド$17(ランチ)

1春野菜をレモンオイルやフレンチドレッシングで和えた春のひと皿 2倉庫を改装した店内 3オーナーのアニーは創業時からシェフを務める 4マッシュルームやポテト、豆腐の串焼き

MAP 別冊P.21 B-1 ☎ フォート・メイソン

所Fort Mason Building A 交ミュニバス30番chestnut St & Laguna Stから徒歩10分 ☎415-771-6222 営11:45~14:30、17:30~21:00(土曜はプリフィックス料理のみ。ブランチは土曜の11:00~14:30、日曜の10:30~14:00) 休月曜のランチ CV、M、A、D URL www.greensrestaurant.com

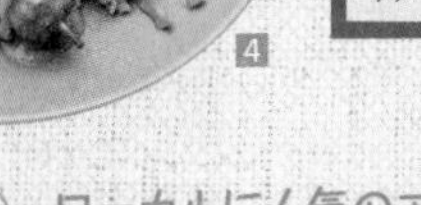

ローカルに人気のエリアで
絶品のピザをご賞味あれ

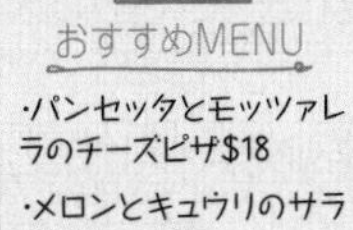

おすすめMENU
- ・パンセッタとモッツァレラのチーズピザ$18
- ・メロンとキュウリのサラダ$15

ピッチーノ Piccino

仲のよい友人の家に招かれたような心地よい空間と、オーガニックの食材を使ったシンプルな料理が特徴。イタリアやフランス、アメリカの生産者から仕入れる厳選されたワインも魅力。

MAP 別冊P.18 F-4 ☎ ドッグパッチ

所1001 Minnesota St 交ミュニメトロT線20th St駅から徒歩5分
☎415-824-4224 営11:00~22:00 休月曜 CV、M
URL www.piccinocafe.com

1オーナーのマルガリータ(左)とシェリル 2食材は地元の小規模農家から直接買い入れる。クリスピーな生地のシンプルなピザは絶品 3オープンキッチンのある店内

グリーンズ・レストランは、1979年にサンフランシスコ禅センターによって作られたレストラン。じつは日本とつながりが深いんです。

サンフランシスコのコーヒーシーンをリードするスタイリッシュで美味なカフェをご紹介しましょう

めまぐるしく進化を続けるサンフランシスコのコーヒーシーンのなかで、
深炒りコーヒーを愛してやまないローカルたちが太鼓判を押す
人気のカフェをご紹介しましょう。

お客さんの注文に快く応えるスタッフ

休日ともなると、親子で朝食を食べにくるローカルも多い

好きなコーヒーを注文し、思い思いに時間を過ごす

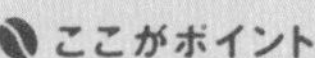

ここがポイント

ブルー・ボトル・コーヒーは、アメリカで初めてサイホンコーヒーを出した店。いれるのに少々時間はかかりますが、豊かな味と香りで人気です。

ベルギースタイルのワッフル$7.5は人気の朝食メニュー

ラテ・アートがかわいいカフェラテ$4

新世代コーヒーのリーダー的存在

ブルーボトル・コーヒー
Blue Bottle Coffee

ベイエリアやニューヨーク、ロサンゼルスに店を構える、新世代コーヒーの雄。創業以来、「焙煎してから48時間以内のコーヒーしか販売しない。上質のオーガニックで無農薬、日陰栽培の豆しか使わない」というポリシーを貫く。2015年には日本にも出店を果たし、親しまれている。

MAP 別冊P.20 D-4　ソーマ

住66 Mint St　交ユニオン・スクエアから徒歩13分
☎510-653-3394（代表）　営7:00～19:00
休無休　CV、M　URL www.bluebottlecoffee.net

ベイエリアの人気コーヒー

ベイブリッジを渡った対岸の街、オークランドにあるバイシクル・コーヒーも、上質な豆を自家焙煎して自転車でデリバリーするスタイルが評判となり人気店に。倉庫のような店がユニーク。URL www.bicyclecoffeeco.com MAP 別冊P.19 A-2

自転車通勤が多いスタッフのために自転車ラックが

広々とした店内には、愛犬連れのお客さんも少なくない

ここがポイント

バックヤードには巨大な焙煎機があり、スタッフが付きっきりで行程を見守る。焙煎時間で味わいが変わるので、常に真剣勝負です。

コツは、焦らず
ていねいに
入れることかな

フィルターコーヒーはじっくり時間をかけて

ベイエリアのコーヒー熱に拍車をかける

フォーバレル
Four Barrel

ローカルに人気のエリアとして知られるミッションに、2008年にオープン。以来、高感度なローカルの心をとらえて離さないカフェ。豆はもちろん、焙煎から入れ方にいたるまで、どの段階でも手を抜かないこだわりの味が人気の秘密だ。現在、サンフランシスコに3店舗構える。

MAP P.88/別冊P.24 B-1　ミッション

所375 Valencia St　交バート16th St Mission駅から徒歩6分
☎415-896-4289　営7:00～20:00（日曜は8:00～）　休無休
Ⓒ V、M　URL fourbarrelcoffee.com

天気のよい日は、屋外の席でのんびりコーヒーを楽しむ人も

コーヒーは、焙煎されて初めて本来の味や香りが生まれます。浅煎りほど酸味が強く香り豊か。深煎りになるほど苦味や香ばしさが強くなります。

グルメな街サンフランシスコで おいしいと評判のパン屋さん

さまざまな人種が入り交じり、独特の文化を形成しているサンフランシスコ。
パンも、フレンチあり、イタリアンあり、アメリカンありと多種多様。
そんなグルメな街でもとくに人気のベーカリーを集めてみました。

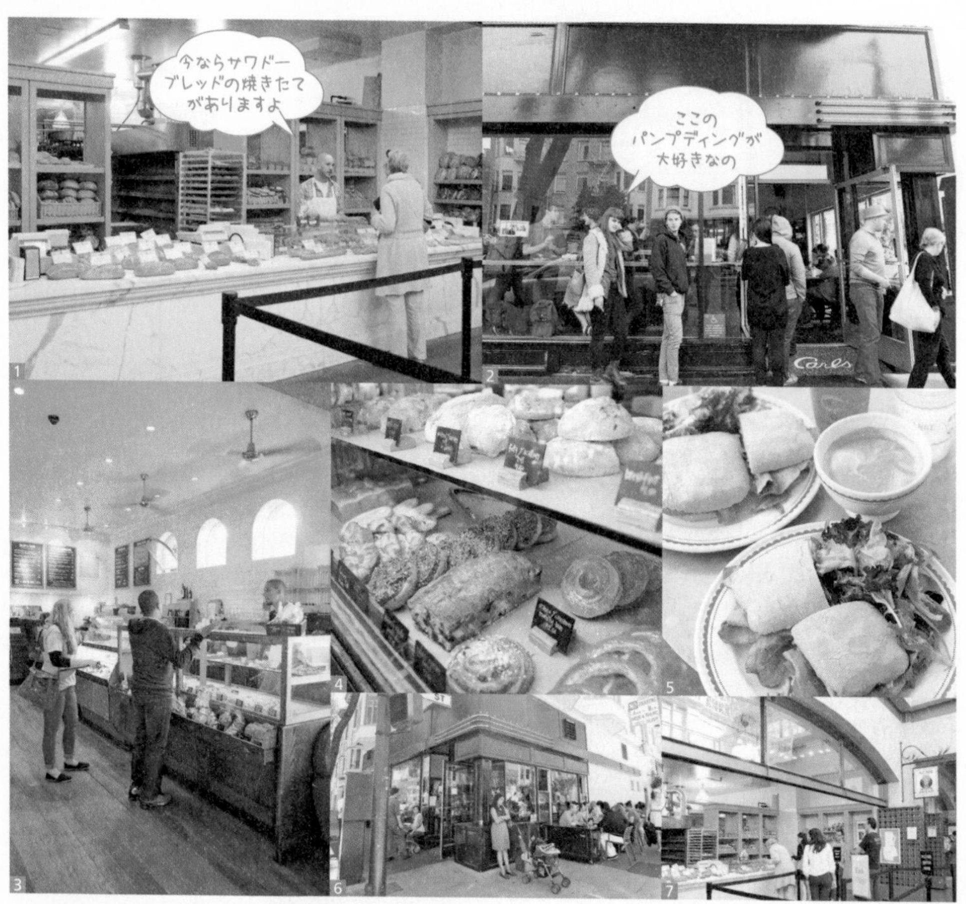

1フェリー・ビルディングの1階にあるアクミブレッドA 2ミッションエリアにあるタルティーヌ・ベーカリーの前にはいつも行列がC 3ラ・ブーランジェリー・デ・サンフランシスコはコーヒーもおいしいカフェ&ベーカリーB 4ショーウィンドウにはさまざまなパンが並ぶB 5カフェ・メニューも豊富B 6天気のいい日はテラス席までいっぱいC 7アクミブレッドのパンは有名レストランも御用達の味A

自分のニックネームを作りませんか

アメリカのカフェやファストフード店では、注文時に名前を聞かれ、できあがったときに名前で呼ばれることがよくあります。日本語の名前はローカルには聞き取りにくいものもあるので、英語風の呼び名を自分で作ってしまうのも楽しいです。

グルメの間でも評判のおいしさ

A アクミブレッド
Acme Bread

バークレー発のベーカリーで、サンフランシスコの伝統的なパンが並ぶ。小麦粉からオリーブオイル、ナッツ類まで、オーガニックにこだわる。ラインナップは100種類以上。

MAP 別冊P.20 F-2　フェリー・ビルディング

所One Ferry Building　交ユニオン・スクエアから徒歩20分
☎415-288-2978　営6:20～19:30（土・日曜8:00～19:00）　休無休
C使用不可　URL www.acmebread.com

チーズ・ウィール
チーズの塩気と風味がパンの味を引き立てる

サワドーブレッド
ちょっと酸味がきいた、サンフランシスコ名物のパン

フランスの伝統的なパンが並ぶ

B ラ・ブーランジェリー・デ・サンフランシスコ
La Boulangerie de San Francisco

地元っ子に大人気のベーカリーチェーンで、スタッフも気さくで居心地満点。かわいい外観も目をひく。ランチやブランチのメニューも充実している。

MAP 別冊P.21 C-4　シビック・センター

所500 Hayes St
交ミュニメトロF線Market St & Gough St駅から徒歩9分
☎415-863-3376　営7:00～18:00　休無休　CV、M

クロワッサン
フランス伝統のパンは表面がカリッとしていてなかはもっちり

ブリオッシュ
バターや卵、牛乳を多めに使ったフランスの伝統的な菓子パン

ベスト・ベーカリーの呼び声も高い

C タルティーヌ・ベーカリー Tartine Bakery

オーガニックの小麦粉を使ったパンで知られる人気店。大好評のクロワッサンやサワドーブレッドのほか、ケーキ類もおいしい。カフェも併設する店は、いつも人であふれている。

MAP P.88/別冊P.24 B-2　ミッション

所600 Guerrero St　交ミュニメトロJ線Church St & 18th Stから徒歩5分　☎415-487-2600　営7:30～19:00（月曜は8:00～、木・金曜は～20:00、土曜は8:00～20:00、日曜は9:00～20:00）　休無休
CV、M URL www.tartinebakery.com

パンプディング
フルーツがたっぷりのったプディングは女性に人気

ブルーベリースコーン
ほどよい甘味がおいしいスコーンは朝食やおやつにぴったり

火曜から日曜の午後5時に焼き上がるタルティーヌ・ベーカリーの食パンがローカルの間では大人気。

カリフォルニアワインのことをちょっとお勉強しましょう

優良なワインの生産地で知られるナパやソノマが近郊にあるサンフランシスコに来たら、
やっぱりカリフォルニア・ワインを楽しみたいもの。
だから、事前に少しワインのことを学んでおきましょう。

大人女子のための カリフォルニアワイン・プチ講座

私はカリフォルニアワインの白が好き

1カリフォルニア・ワインの代表的な産地ナパでは、試飲もお楽しみのひとつ
2ワインがずらりと並んだアレクイン・ワイン・マーチャントの店内
3スパークリングワインは冷やして飲むのがおすすめ
4ワインはラベルを見れば、産地やブドウの品種が一目瞭然

気候に恵まれた西海岸では、ブドウの収穫時期に雨がほとんど降らないため、ブドウの果実が完熟するのを待って収穫することができます。このため、カリフォルニアワインは果実味にあふれた味わいになるといわれています。また、歴史や伝統にとらわれず、新しい試みに挑戦できる環境は、価格の安定にもつながっています。カリフォルニアワインの品種は、赤ならカベルネ・ソーヴィニヨン、メルロー、ピノ・ノワール、ジンファンデル、白ならシャルドネ、ソーヴィニヨン・ブランが主流です。

カリフォルニア生まれのジンファンデル

ジンファンデルは、カリフォルニアの赤ワインの代表的品種。色味が濃く、渋みが少ないのが特徴で、肉料理にも魚料理にも合うことで知られています。値段が手ごろなのもうれしいところ。ロゼにも使われています。

歴史のことも少しお勉強しましょう

1848年に起こったゴールド・ラッシュのころ、ひとりのハンガリー人がこの地に来て、ブドウ栽培を始めたのが、カリフォルニア・ワインの始まり。その後、禁酒法で一時衰退しましたが、第二次世界大戦以降にワイン人気が急騰。

「ナパワインの父」と呼ばれるロバート・モンダヴィによって、ヨーロッパにも負けないワインが造られるようになり、世界にその名が知られるようになりました。

テイスティングに挑戦

まずはカウンターにいるスタッフに、テイスティングしたい旨を伝えます。ワインを注いでもらうときは、グラスはテーブルに置いたまま。飲むときは、グラスのステム（足）を持ちます。ワインを味わったあとは、片言でも「グッド」「デリシャス」など感想を述べましょう。

ラベルでワインの内容を把握しましょう

①収穫年	この年に収穫したブドウを95%以上使用しているということ
②ブランド名	小さなワイナリーの場合、ブランド名とワイナリー名が同じ場合もある
③原産地名	原産地の呼称の場合は85%以上が、畑の名前が記されている場合は95%以上が、そこで獲れたブドウを使っているということ
④ブドウの品種	表示された品種を95%以上使用しているということ

テイスティング・グラスがもらえるワイナリーもあります

ワイナリーでのお楽しみは、やっぱりテイスティング。とくに有料のテイスティングを行っているワイナリーでは、試飲で使ったワイングラスをおみやげにプレゼントしてくれることも少なくありません。自社のラベルを刻印したグラスなど、そこでしか手に入らないグラスも多く、人気を呼んでいます。

お気に入りが見つかるワイン・ショップ

約2000種のワインが揃う専門店

アレクイン・ワイン・マーチャント
Arlequin Wine Merchant

ズラリと並んだ世界各国のワインのうち、約30%がカリフォルニア産。隣接するレストランのテラスでは、購入したワインを飲むこともできる。

MAP 別冊P.21 C-4 シビック・センター

所384A Hayes St 交ミュニメトロF線Market St & Gough St駅から徒歩7分 ☎415-863-1104 営11:00～20:00（月曜～19:00、日曜12:00～19:00） 休無休 CV、M URL www.arlequinwinemerchant.com

ここでワインを飲むのが好きなの

1 お天気のいい日はテラス席でワインを楽しむ人も多い
2 ヘイズ・ストリートに面したショップ
3 VinestarrやArnot-Robertsなどのカリフォルニア・ワインが人気

ワインバーを併設するお店

フェリー・プラザ・ワイン・マーチャント
Ferry Plaza Wine Merchant

買い物客でにぎわうフェリー・ビルの1階にあり、世界各国のワイナリーで造られた良質のワインが揃う。

MAP 別冊P.20 F-2 フェリー・ビルディング

所One Ferry Building 交ユニオン・スクエアから徒歩20分 ☎415-391-9400 営10:00～21:00（月曜11:00～20:00、火曜～20:00、土曜8:00～20:00、日曜～19:00） 休無休 CV、M URL www.fpwm.com

カリフォルニア・ワインの産地は、ナパP.106&ソノマバレーのほかに、パソ・ロブレス、サンタ・バーバラP.68などがあります。

バートに乗って約30分。先取の精神あふれる バークレーは、雑貨や洋服のお店もエココンシャス

**世界屈指の名門大学として知られるカリフォルニア大学。
その本拠地であるバークレーは、革新的でエネルギッシュな街。
環境問題に対する意識も高く、サステイナブルにこだわるショップも少なくありません。**

リベラルな空気に包まれた大学の街、バークレー

バークレーを語る上で欠かせないのが、カリフォルニア大学バークレー校。地元の人たちから「カル（Cal）」と親しまれる同校は、自由な校風で知られる名門校です。そんな大学を中心に広がるバークレーはグリーン意識も高く、全米でも有数の進歩的な街。ハイセンスなアイテムを揃えたセレクトショップが、じつは環境にやさしいファッションのお店だったりすることも……。さあ、この街のおしゃれなエコ&グリーンに触れてみましょう。

1

2

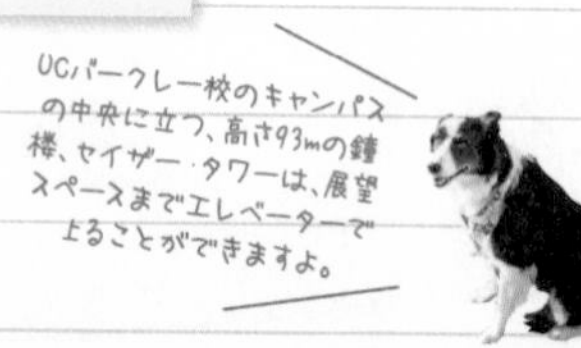

UCバークレー校のキャンパスの中央に立つ、高さ93mの鐘楼、セイザー・タワーは、展望スペースまでエレベーターで上ることができますよ。

Berkeley

3

ぐるっと回って 180分

バークレーへのAccess

UCバークレー校へは、バートRichmond-Millbrae ラインのRichmond行きに乗り、Downtown Berkeley下車。おしゃれなお店が集まる4th ストリートは、North Berkeleyで下りるほうが便利です。

サンフランシスコに帰るには

バークレーからはMillbrae行きのバートがないので、帰りは19th St/Oaklandで乗り換える必要があります。間違えないようにしてくださいね。

エコにこだわるショップに注目

オーガニックの雑貨やエコロジカルな洋服を揃えるショップをピックアップ！

エコなアイテムが並ぶ

コンバート
Convert

「エコフレンドリーだけどハイセンス」という洋服や小物を揃えたセレクトショップ。アーティストデザインのTシャツやデイパックも人気。

MAP P.105

所1809B 4th St ☎510-649-9759
営10:00～19:00(日曜11:00～18:00)
休無休 CV

人気のデイパックシリーズ$85～95

柄の異なる布をはぎ合わせたロングスカートは、柄の組み合わせが絶妙$210～

シンプルなデザインがすてきな紺のワンピース$155～

コンバートは環境に優しい商品を揃えたお店なのよ

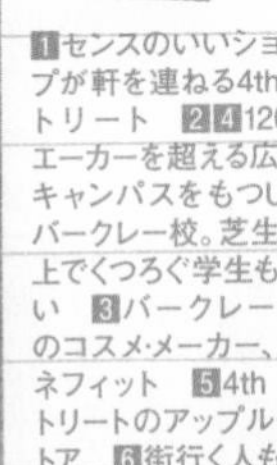

1センスのいいショップが軒を連ねる4thストリート 2 4 1200エーカーを超える広いキャンパスをもつUCバークレー校。芝生の上でくつろぐ学生も多い 3バークレー発のコスメ・メーカー、ベネフィット 5 4th ストリートのアップル・ストア 6街行く人もなんとなく教授風？！

肌触りのいいタオルがいっぱい

ターキッシュ・タオル・コレクション
Turkish Towel Collection

オーガニック・コットンのタオルやバスローブなどが並ぶショップ。厚手でしっかりしたタオルは、優しい肌触りで使い心地がいい。

MAP P.104

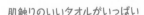

所1717C 4th St ☎510-524-4134
営10:00 ～ 18:00(月曜11:00～18:00)
休無休 CV、M、A

オーガニック・コットンのフェイスタオル$40、バスタオル$150

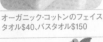

UCバークレー校のキャンパス内には、誰でも訪れることができる美術館や植物園もあります。

バークレーの4thストリートには高感度なショップがいっぱいです

カリフォルニア大学バークレー校から3kmあまり西へ進んだ4thストリートは人気のショップが軒を連ねるバークレー随一のおしゃれストリート。気になるお店をのぞきながら、ゆっくり街歩きを楽しみましょう。

白を基調にした、清潔感あふれる店内

ターキッシュ・タオル・コレクション

Turkish Towel Collection

自然派のタオル屋さん

オーガニック・コットン100%のタオルなどが揃う。

MAP P.104 ➡P.103

カフェ・ルージュ Café Rouge

赤いパラソルが目印のレストラン

オーガニックの牛肉や豚肉、ラムなどを使った、素朴な地中海料理とアメリカ料理の店。オイスター・バーも併設する。

MAP P.104

所1782 4th St ☎510-525-1440 営11:00～21:00（金・土曜～22:00、日曜11:00～16:00、17:00～21:00、月曜～15:00） 休無休
C V、M、A URL caferouge.net

ナチュラルな素材にこだわっているわ

お天気のいい日は、やっぱりテラス席が人気

ねぇ、今日はどこへ行くの？

北

ヴァージニアSt

デラウェアSt

クレート＆バレルアウトレット

4thストリート

フォルムがかわいいキッチン雑貨がいろいろ

クッション$29.95～49.95

シービーツー CB2

クレート＆バレルの姉妹店

機能的でおしゃれな家具や雑貨で知られるクレート＆バレルのセカンドライン。店内いはかわいい雑貨がいっぱい。

MAP P.104

所1730 4th St ☎510-558-0106
営10:00 ～ 19:00 休無休 C V、M、A
URL www.cb2.com

キャンドルスタンド$7.95

プラスチック製のフォトスタンド$14.95～

4th ストリートに面して立つ、黄色い建物が目印

ピーツ・コーヒー＆ティ

Peet's Coffee & Tea

バークレー発のコーヒー店

上質の豆を独自の焙煎技術で提供する、1966年創業の人気カフェ。カリフォルニアに100店舗以上を展開する。

MAP P.104

所1776 4th St ☎510-525-3207
営5:30～20:00（金曜～21:00、土曜6:00～21:00、日曜6:30～）
休無休 URL www.peets.com

スタバの創業者が愛したカフェ

4thストリートにあるPeet's Coffe&Teaは、バークレー発祥のカフェ。この地で学生時代を過ごしたスターバックスコーヒーの創業者ジェリー・ボールドウィンは、シアトルにもこんなコーヒーショップが欲しいと思い、仲間とシアトルにスタバを創業したんですよ。

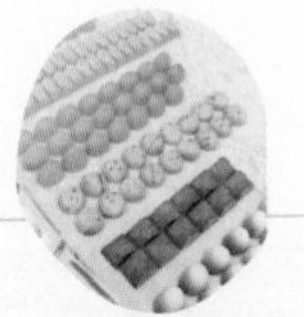

カラフルなチョコレートが並ぶ

チョコや抹茶などのアイスクリームは試食もOK

ショコラティエ・ブルー・パーラー
Chocolatier Blue Parlor

バークレー生まれのチョコ専門店

ジュエリーのようなカラフルな手作りのチョコが並ぶ。さまざまなフレーバーのアイスも人気。

MAP P.105

所1809 4th St ☎510-665-9500 営11:00～19:00（金～日曜～20:00、冬季は変更あり）
休無休 ©V、M、A
URL www.chocolatierblue.com

ベネフィット Benefit

女子好みのキュートコスメ

サンフランシスコ発のコスメ・メーカー。ビューティーアワードでも、毎年数々の賞を獲得する質の高さも人気の秘密。

MAP P.105

所1831 4th St ☎510-981-9858
営9:00～19:00（土曜～18:30、日・月曜10:00～18:00） 休無休 ©V、M
URL www.benefitcosmetics.com

パッケージもかわいく、ハリウッドセレブたちの間でも評価は高い

フェイスパウダー$29

パステル・カラーで彩られた店内

ハーストAve
ユニバーシティAve
↑UCバークレー校
アップル・ストア
4thストリート

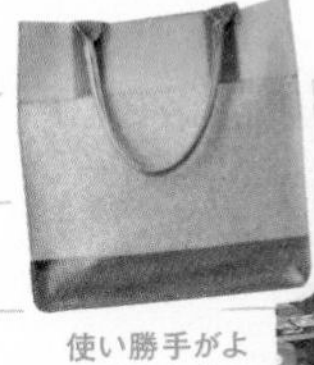

使い勝手がよくて丈夫そうなトート$240

広々とした店内には、カラフルな洋服が並んでいる

コンバート Convert

人気のエコブランドが揃う

オーガニック・コットンなどを使った自然素材の洋服や雑貨が並ぶ。

MAP P.105 ➡P.103

セレクトショップのコンバートとは姉妹店

コンバート・コレクション
Comvert Cllection

ハイエンドなコレクションが魅力

シンプルだけど洗練された高品質な品揃えが人気。アーバンスタイルでおしゃれな服やバック、靴が並ぶ。

MAP P.105

所1844 4th St ☎510-984-0142 営10:00～19:00（日曜11:00～18:00） 休無休 ©V、M、A URL www.convertstyle.com

バークレーは、エコロジー・センターを中心に、40年近くも前から資源ゴミのリサイクルを行っている、アメリカでも有数のロハスな街です。

サンフランシスコから車で約2時間 ワインの街ナパへプチトリップ

サンフランシスコ市内から車を走らせること約2時間。
ナパは、アメリカが世界に誇るワインの里です。
カリフォルニア・ワインの聖地で1泊2日の優雅な旅を楽しみましょう。

1 地平線まで続く緑のブドウ畑は、ワインカントリーならではの風景　2 ナパではブドウが完熟するまで待って収穫する　3 スパークリング・ワインで知られるドメイン・カーネロス　4 ヴィ・サットゥイのテイスティングルーム。テイスティングは$15　5 ワインを熟成させるための樽

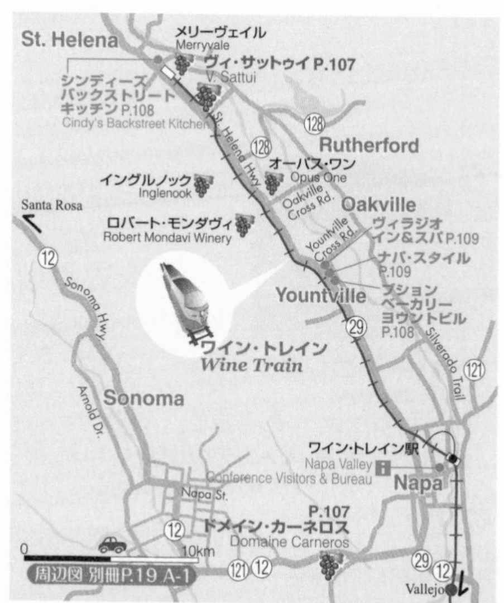

全米でいちばん有名な ワインカントリー、ナパ

観光地として名高いナパは、細長い盆地。正式にはナパ・バレーと呼ばれ、ナパ、ヨウントビル、セントヘレナ、ラザフォード、オークビル、カリストガの6つの街で構成されています。観光のメインはワイナリーめぐりで、29号線沿いには大小のワイナリーが並んでいます。フランスのシャトーを思わせるワイナリーで優雅な気分に浸ったり、小さなワイナリーで作り手の思いをじかに感じたり。1泊して、ゆっくりカリフォルニア・ワインを楽しみましょう。

天候などに影響を受けやすいブドウ栽培ですが、カリフォルニア・ワインはフランスほど品質の乱降下はないといわれています。

ナパへのAccess

サンフランシスコからナパへは、車で2時間ほど。ゴールデン・ゲート・ブリッジをわたって101号を北上。37号、121号を進み、29号を左折すると10分ほどでナパに到着。

暑い気候と海風が良質のワインを生む

内陸性の暑い気候とサンフランシスコ湾からの冷たい海風が寒暖の差を生むことから、ナパではカベルネ・ソーヴィニヨンやメルローを主体とした良質なワインがつくられるといわれています。

まずはワイナリーへ行ってみましょう

350軒以上のワイナリーがあるので、事前に行きたいワイナリーを決めておきましょう。

1 畑ではシャルドネとピノ・ノワールだけを栽培　2 シャルドネだけで作ったスパークリング・ワイン。フランスの伝統的な作り方と同じだという　3 古い機械も展示している　4 ワイン関連のグッズも豊富なショップもある

全米屈指のスパークリングワインを堪能

キリッとした
爽やかな
飲み口がいいね

ブドウ畑を見ながら試飲ができる

ドメイン・カーネロス
Domaine Carneros

シャトーのような館で優雅に

スパークリング・ワインが有名。完熟前の8月にブドウを収穫するため、甘くないキリリとした味のスパークリングワインができる。

MAP P.106

所 1240 Duhig Rd, Napa　交 ナパの観光案内所から車で10分　FREE 800-716-2788
営 10:00 ～ 17:45　休 無休　C V、M、A
URL www.domainecarneros.com

ヴィ・サットゥイ
V. Sattui

他では買えないワインもいろいろ

1882年にイタリアから来たワイン作りの名人ヴィットリオ・サットゥイの名を冠したワイナリー。他に卸していないので、ここでしか飲めない。

MAP P.106

所 1111 White Ln, St Helena　交 ナパの観光案内所から車で30分
☎ 707-963-7774　営 9:00～18:00　休 無休
C V、M、A　URL www.vsattui.com

広い芝生の庭でワインとお惣菜を買ってピクニック

1 ワインに合うチーズなども販売している　2 VWのロゴマークが目印。Gamay RougeとCabernet Sauvignonは値ごろ感があり、おすすめの2本　3 ウェディングもできる建物　4 広い庭でピクニックもできる

ワイン・トレイン社では、サンフランシスコとナパを結ぶバスとワイン・トレインがセットになったサービスを行っています。車がない人には便利ですね。

おみやげもランチもナチュラル・フードでいきましょう

ブドウ畑が広がるナパは、エコ・フレンドリーな街。自然派のお店も多いんです。

1農家をイメージさせるようなインテリアがかわいい 2ホットサンドイッチはライトな食べ心地 3グリーンサラダはオーガニック野菜の面目躍如。野菜の味がしっかり 4木立の間から柔らかな日差しが差し込むテラス席

シンディーズ・バックストリート・キッチン
Cindy's Backstreet Kitchen

キュートなインテリアと美味な料理

この地のレストランのパイオニア的存在で、女性シェフが腕をふるう。農場から直接仕入れる、オーガニックの野菜や果物を使った料理は素朴で美味。観光客にもローカルにも人気。

MAP P.106

所1327 Railroad Ave, St Helena
交ナパの観光案内所から車で35分 ☎707-963-1200
営11:30～21:30 休無休 CV、M、A
URL www.cindysbackstreetkitchen.com

カントリー風のインテリアにパステルのグラスが映える

ブション・ベーカリー・ヨウントビル
Bouchon Bakery Yountville

テラスで気軽にランチを

ニューヨークの三ツ星レストランをプロデュースしたアメリカ人シェフ、トーマス・ケラーが手掛けるベーカリーのヨウントビル店。ペストリーのほか、バゲット類もおいしいと評判。

MAP P.106

所6528 Washington St, Yountville
交ナパの観光案内所から車で15分 ☎707-944-2253
営7:00～19:00 休無休 CV、M、A
URL www.bouchonbakery.com

1ベーカリーで買ったパンとドリンクを屋外のテラスで 2黄色い建物が目印 3ニューヨークなどで評判の味が気軽に楽しめるとあって人気

ワイン・トレインもおすすめ

1950年代の列車に乗って、ナパ・バレーを縦断するワイン・トレイン。料理とワイン、ナパの風景がいっぺんに楽しめます。URL winetrain.com/jp

グルメなおみやげ探しならココ！

1 ナパ・スタイルの入り口。クール・ビューティ 3人組はおさんぽの途中とか　2 オリーブオイルの計り売りも　3 フルーツビネガー$19

ナパ・スタイル Napa Style

センスのいい生活雑貨や食品が並ぶ

ヴィラジオ・イン＆スパの敷地内にあるおみやげショップ。オーガニックのオリーブ・オイルやフルーツビネガーなど、地元産のフードなどが揃う。店内にはカフェコーナーもあって軽食も楽しめる。

MAP P.106

所6525 Washington St, Yountville　交ナパの観光案内所から車で15分　☎707-945-1229
営10:00～18:00（カフェ 11:00～15:00）　休無休　C V、M、A
URL www.napastyle.com

ステイはスパも充実しているリゾートホテルがおすすめ

ブドウ畑が広がるワインカントリーだけに、リゾート系ホテルのほうが盛り上がります。

田舎家風のヴィンテージ・インは女性に人気

緑あふれる敷地は、さんぽするのも楽しい

屋外のジェットバスは暖炉がついていて、夜はとってもロマンチック

ヴィラジオ・イン＆スパ Villagio Inn & Spa

タイプが異なる2つの宿泊施設

広い敷地に、シンプルな内装のヴィラジオ・インとプロバンス風のヴィンテージ・インの2つがある。プールはもちろんスパ施設も充実。土・日曜には無料のワインテイスティングも実施。

MAP P.106

所6481 Washington St, Yountville　交ナパの観光案内所から車で15分　FREE 800-351-1133
FAX 707-944-8855　室ヴィラジオ・イン＆スパ112室、ヴィンテージ・イン80室　料K$340～、SU$550～
C V、M、A　URL villagio.com

ナパの西にあるサンタ・ローザの街は、チャールズ・シュルツがスヌーピーたちの物語「ピーナッツ」を描き続けた街として知られています。

ラグジュアリーからエコ・フレンドリーまで 快適な滞在を約束してくれるホテル

西海岸のなかでも観光都市として人気が高いサンフランシスコには、さまざまなタイプのホテルが揃っています。観光やショッピングに便利な8つのホテルをご紹介しましょう。

西海岸で最大規模のホテル

ユニオン・スクエア

ヒルトン・サンフランシスコ・ユニオン・スクエア

Hilton San Francisco Union Square

ダウンタウンの中心に位置し、どこへ行くのも便利。ダブルベッドのツインルームは全室バスタブ付きで、日本人に人気。ロビーにはスターバックスも。

MAP 別冊P.22 A-3

所333 O'Farrell St 交ユニオン・スクエアから徒歩5分 ☎415-771-1400 FAX415-771-6807 室1908室 料K/D+D $229～ CV、M、A、D、J URL www.hiltonsanfranciscohotel.com 日本予約03-6679-7700(東京23区内) FREE0120-489-852(23区外)

ここがおすすめ

16階にあるプールは、ダウンタウンの中心とは思えないほど静かで、のんびりしたい人にはぴったり。

エココンシャスで心地いい

ユニオン・スクエア

オーチャード・ガーデン

Orchard Garden Hotel

エコフレンドリーなサンフランシスコにあって、いち早く環境保護をコンセプトに建てられたホテル。アメニティもオーガニック製品を揃えている。

MAP 別冊P.22 C-1

所466 Bush St 交ユニオン・スクエアから徒歩7分 ☎415-399-9807 FAX415-393-9917 室86室 料D+D $179～ CV、M、A、D URL www.theorchardgardenhotel.com

ここがおすすめ

ユニオン・スクエア近くにあり、観光にもショッピングにも便利。ダウンタウンの夜景もきれい。

おしゃれなブティックホテル

ユニオン・スクエア

エグゼクティブ ホテル ビンテージ コート・サンフランシスコ

Executive Hotel Vintage Court San Francisco

ユニオン・スクエアまで2ブロック、ケーブルカー乗り場も近い。設備の整った客室は落ち着いた雰囲気で、暖炉のあるロビーも居心地がいい。

MAP 別冊P.22 B-1

所650 Bush St 交ユニオン・スクエアから徒歩5分 ☎415-392-4666 FAX415-433-4065 室106室 料$129～399 CV、M、A、D、J URL www.executivehotels.net/sanfranciscohotel/

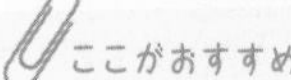

ワインがテーマのひとつで、毎日夕方に行われるワイン・テイスティングのサービスも人気が高い。

ロマンティックなひとときを約束

ユニオン・スクエア

プティト・オーベルジュ

Petite Auberge

焼きたてクッキーのサービスなど、心温まるおもてなしがうれしいフレンチ・テイストの優雅なホテル。客室ごとに異なるチャーミングな内装が人気。

MAP 別冊P.22 A-2

所863 Bush St 交ユニオン・スクエアから徒歩7分 ☎415-928-6000 FAX415-673-7214 室26室 料Q/T $143.65～ CV、M、A、D、J URL www.petiteaubergesf.com

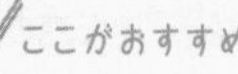

ビュッフェ式の朝食付き。コーヒー、紅茶のほか、夕方にはワインとオードブルの無料サービスも。

コンベンション時期は要注意

観光客の少ない1、2月や6月、12月は比較的安くて予約もとりやすいです。でも、西海岸有数の都市であるサンフランシスコは9、10月の国際会議が多い時期は混み合うので、早めに予約をしましょう。

ウォーターフロントにあり眺望抜群

ファイナンシャル・ディストリクト

ビターレ
Hotel Vitale

大きな窓がついた客室は、明るく開放的。上層階の客室からは、アルカトラズ島も見える。スタイリッシュでエコ・フレンドリーな雰囲気も、この街らしい。

MAP 別冊P.20 F-2

所8 Mission St 交フェリービルディングから徒歩3分 ☎415-278-3700 FAX415-278-3750 室200室 料D+D $299〜 CV、M、A、D、J URL www.hotelvitale.com

ここがおすすめ

ファーマーズ・マーケットが開かれるフェリー・ビルディングがすぐ近くにあり、買い物や朝食にも便利。

観光に抜群のロケーション

ファイナンシャル・ディストリクト

ハーバーコート
Harbor Court

ベイブリッジを望むオーシャン・ビューは最高。スタッフの対応もフレンドリーで感じがいい。夕方には、ホテル主催のワインアワーも開催される。

MAP 別冊P.20 F-2

所165 Steuart St 交フェリービルディングから徒歩5分 ☎415-882-1300 FAX415-882-1313 室131室 料S $230〜 CV、M、A、D、J URL www.harborcourthotel.com

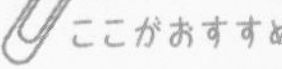

ここがおすすめ

ユニオン・スクエアやノースビーチからのアクセスもよく、どこへでも行きやすいのが魅力。

客室は航海がテーマ

フィッシャーマンズ・ワーフ

ジェファ
Hotel Zephyr

シンプルで、洗練されたカジュアルなホテル。フィッシャーマンズ・ワーフに近く、部屋からはアルカトラズ島やゴールデンゲートブリッジも見える。

MAP 別冊P.20 D-1

所250 Beach St 交ピア39から徒歩7分 ☎415-617-6555 FAX415-617-6578 室355室 料D+D $240〜 CV、M、A、D URL www.hotelzephyrsf.com

ここがおすすめ

フィッシャーマンズ・ワーフからすぐという、観光に便利な立地。ケーブルカー乗り場も近い。

海をイメージした個性豊かな客室

フィッシャーマンズ・ワーフ

アルゴノート
Argonaut Hotel

倉庫として使われていた建物を、「船・海事」をテーマに改築したユニークなホテル。夕方に開かれるワイン・アワーでは、無料でワインの試飲ができる。

MAP 別冊P.21 C-1

所495 Jefferson St 交ケーブルカーPowell-Hyde線Hyde St & Beach Stからすぐ ☎415-563-0800 FAX415-563-2800 室252室 料D+D $219〜 CV、M、A、D、J URL www.argonauthotel.com

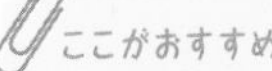

ここがおすすめ

ほとんどの客室から、サンフランシスコ湾のみごとな景色が楽しめる。ケーブルカー乗り場もすぐ。

ショッピング派はユニオン・スクエア、観光メインならフィッシャーマンズ・ワーフ、優雅な滞在ならノブ・ヒルあたりにホテルをとるといいでしょう。

サンフランシスコとロサンゼルスから ひと足のばして国立公園へ

アメリカ西海岸の大きな魅力のひとつは圧倒的な大自然。
そそり立つ岩山や灼熱の谷……。
アメリカ屈指の自然と出会うために、ちょっと足をのばしてみましょう。

「自然ってすごい」を実感

ヨセミテ国立公園
Yosemite National Park

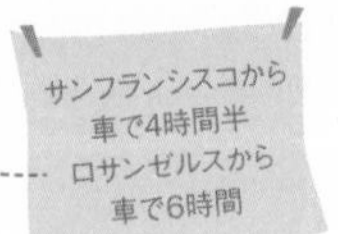

イエローストーン、グランド・キャニオンと並び、アメリカの三大国立公園に数えられるヨセミテ。ここに来ると、大地のエネルギーと生命力をたっぷり受け止められる。

MAP 別冊P.3

料車1台 $20。徒歩、自転車、バイクは1人 $10(15歳以下は無料)いずれも7日間有効
iヨセミテ・バレー・ビジター・センター Yosemite Valley Visitor Center ☎209-372-0200
営9:00～17:00(夏季～19:00) 休無休
URL www.nps.gov/yose MAP P.112

グレイシャー・ポイント
Glacier Point

絶景ポイント。絶壁上の展望台からは、正面にハーフ・ドームが迫り、ヨセミテの全容が見渡せる。11～5月は積雪のため閉鎖。

ヨセミテ滝
Yosemite Falls

落差739mの滝。雪解けの5～6月は水量が多いが、8月には枯れることも。滝の上まで行ける中級者以上向きのトレイルがある。

写真提供：カリフォルニア観光局Mering

ハーフ・ドーム
Half Dome

標高2693mのヨセミテを象徴する岩山。半分に割れたような形をしているため、ハーフ・ドームと呼ばれる。登山は上級者向き。

泊まるなら

マジェスティック ヨセミテ
Majestic Yosemite Hotel

1927年創業の歴史ある高級ホテル。ヨセミテの美しい自然と調和した趣のある造りが魅力だ。内装も素晴しい。

MAP P.112

FREE 801-559-4884 室123室
料D+D $496～ C V、M、A、D
URL www.webportal.com/ahwahnee/

バッドウォーター
Badwater

海抜マイナス86mの地点にある干上がった塩湖。真っ白な大地に強烈な日差しが照り返し、夏場は猛烈な暑さとなる。サングラスは必携。

写真提供：カリフォルニア観光局Bongo

自然の苛酷さを実感する

デス・バレー国立公園
Death Valley National Park

サンフランシスコから車で8時間
ロサンゼルスから車で4時間

アメリカでもっとも熱く、もっとも乾燥している国立公園。長野県と同じくらいの面積の荒涼とした大地が広がる、アメリカ最大の国立公園は、まさに"死の谷"。

MAP 別冊P.3

料車1台$20。個人で入園する場合は1人$10(いずれも7日間有効)。ゲートがないので、ビジターセンターで払う。

iファーニス・クリーク・ビジターセンター＆ミュージアムFurnace Creek Visitor Center and Museum ☎760-786-3200 営8:00～17:00 休無休 URL www.nps.gov/deva MAP P.113

刻々と変わる風紋がきれい！

サンド・デューンズ
Sand Dunes

高さ30m前後の砂丘が連なり、それらが作り上げる光と影のコントラストが美しい。散策は、早朝や夕方など日が低いときがおすすめ。

ダンテズ・ビュー
Dante's View

ファーニス・クリークから約30km離れた、標高1699mのダンテズ山山頂からデス・バレーを見下ろす絶景ポイント。

デビルス・ゴルフ・コース
Devil's Golf Course

ファーニス・クリークとバッドウォーターの間にある。塩と泥が混ざった地面が風雨で浸食され、デコボコした地形が続く。

ファーニス・クリーク・リゾート
Furnace Creek Resort

InnとRanchの2つの施設から成る大型施設。とくに高台に建つInnは、バレーの絶景が楽しめる高級ホテル。夏場だけの営業だ。一方のRanchは、レストランやストアも集まっていて便利。

MAP P.113

FREE 800-236-7916 FAX 760-786-2614 室66室(Inn)、224室(Ranch) 料K$345～(Inn)、D+D$91～(Ranch) C V、M、A、D、J URL www.furnacecreekresort.com

こんな景色、ほかでは絶対、見られないよ

ローカルが教えてくれた
フォトジェニックなサンフランシスコ

観光名所からローカル御用達スポットまで
この街をよく知る地元の女性たちに聞いた
素敵なサンフランシスコをご紹介しましょう。

ねえ、今度ぼくも
アラモ・スクエアに
連れて行ってよ

ファイナンシャル・ディストリクト
Financial District
高層ビルが林立する都会的な一画
MAP 別冊P.20 E-2　ファイナンシャル・ディストリクト

アラモ・スクエアの
あたりは、きれいな
ビクトリアン・ハウスが
並んでいてすてきよ

いつもこのあたりを
走っているんだけれど、
ここの高層ビル群って
ほんとうに美しいと思うわ。
とくに私は日が傾きかけた
頃の風景が好き

アラモ・スクエア
Alamo Square
ビクトリアン・ハウスの美しい街並み
MAP 別冊P.21 B-4 ヘイト・アシュベリー

ぼくもこの景色は
大好きなんだ

アルカトラズ島からの眺め
View from Alcatraz Island
海の向こうに高層ビル群が見える
MAP 別冊P.18 D-1 アルカトラズ島

この辺もビクトリアン・
ハウスが多いの。
私も愛犬といっしょに
よくおさんぽするわ

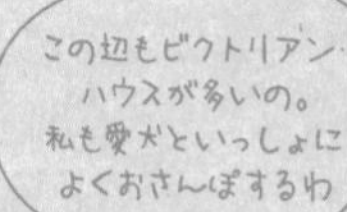

船で行くアルカトラズ島の
中庭はサンフランシスコを
一望できる絶景ポイント。
囚人たちは、風に乗って聞こえてくる
街の人々の声を聞いて孤独を深め、
郷愁を感じたそうよ

ラファイエット・パーク
Lafayette Park
瀟洒な家が建ち並びおさんぽが楽しい
MAP 別冊P.23 C-3 パシフィック・ハイツ

カフェと自然志向の街
シアトル

自然と都会がみごとなバランスで融合したシアトルは、
ほとんどの見どころが歩いて回れるくらい小さな街。
市場の熱気が肌で感じられるパイク・プレイス・マーケットをのぞいたら、
高感度なショップやカフェが集まるキャピトル・ヒルへ出かけましょう。
シアトルはグルメコーヒーの聖地ですから、カフェにはぜひ立ち寄ってみて。
ゆっくりおさんぽも楽しみましょう。

シアトルの街はこんな感じです

豊かな自然と都会的なモダンさが溶けあう緑と水の都シアトル。
見どころはダウンタウンの中心部に集まっていますが、少し足をのばせば、
ローカルに人気のショップや隠れ家的なレストランが見つかります。

ホテルやデパート、高級ブティックなどが集中するシアトルの中心地。パイク・プレイス・マーケットも見逃せない

1 ダウンタウン Downtown

パイク・プレイス・マーケット P.120
シアトル美術館

高感度なショップやカフェが軒を連ね、おしゃれな若者たちが数多く集まる。シアトルの"旬"はココでチェック

2 キャピトル・ヒル Capitol Hill

メルローズ・マーケット P.122

北欧移民が多いバラードとアーティストが集まるフリーモント。どちらもローカルに大人気

3 バラード&フリーモント Ballard & Fremont

日本をはじめ、中国、韓国、
ベトナム、タイなど各国の店が
集中しているエリア。
第二次大戦前までは、「日本人町」や
「中華街」としてにぎわった

9 インターナショナル・ディストリクト
International District

アマゾン・ドット・コムの
本社を囲むようにして
新しいアパートやレストラン、
バーなどが次々に
オープンしている注目のエリア

8 サウス・レイク・ユニオン
South lake Union

エリオット湾に面したエリアで、
シーフード・レストランやみやげ物店などが並ぶ。
観光船や離島へのフェリーもここから出航

7 ウォーターフロント **Waterfront**

オールド・ダウンタウンの風情が残る
古い赤レンガの建物が建ち並ぶシアトル発祥の地

6 パイオニア・スクエア **Pioneer Square**

シアトルのランドマーク、
スペース・ニードルが立つシアトル・センター。
その北に広がるクイーン・アンは高級住宅街

5 クイーン・アン&シアトル・センター
Queen Anne & Seattle Center

スペース・ニードル

ダウンタウン中心部の
数ブロック北にあり、おしゃれな
ナイト・スポットが集まる

4 ベルタウン **Belltown**

5
513
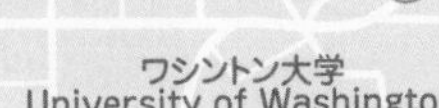

ユニオン・ベイ
Union Bay
520

8 サウス・レイク・ユニオン
2 キャピトル・ヒル
Madison St.
23rd Ave.
パイオニア・スクエア
6
Yesler way
9 インターナショナル
ディストリクト
90

旅のしおり

定番も最新トレンドもぜんぶ楽しみたい シアトルのとっておきの１日プラン

豊かな自然と都会的な雰囲気の両方が楽しめるシアトル。
ノスタルジックなマーケットからエコフレンドリーなファッション、スターシェフの味まで、
シアトルの魅力をとことん満喫しましょう。

シアトルを丸ごと楽しむ1日

ローカルに人気で
観光客も楽しい
おすすめのスポットを
紹介します

きれいなお花も
いっぱい

観光名所のパイク・プレイス・マーケットP.120は、活気あふれる市民の台所でもあります

マック&チーズが人気のビーチャーズ・ハンドメイド・チーズP.121

10:00 おさんぽはパイク・プレイス・マーケットからスタートします

スタバ1号店でしか
買えない限定グッズも
いろいろ

11:00 海が見わたせる公園でひと休み

マーケット裏手の海の見える公園には椅子とテーブルも

スターバックス・コーヒー1号店P.121も、この公営マーケット内にあり、人であふれています

11:30 ダウンタウンの中心部をおさんぽ。
そのあとはぶらぶら歩きながらミストラル・キッチンへ移動します

フランズ・チョコレートP.128はオバマ夫妻もごひいきのお店

楽しいペーパーグッズが並ぶペーパー・ハンマーP.133。おみやげにぴったりのアイテムがいろいろ揃う

シアトルは小さな街なので、おもな見どころは歩いて回れます

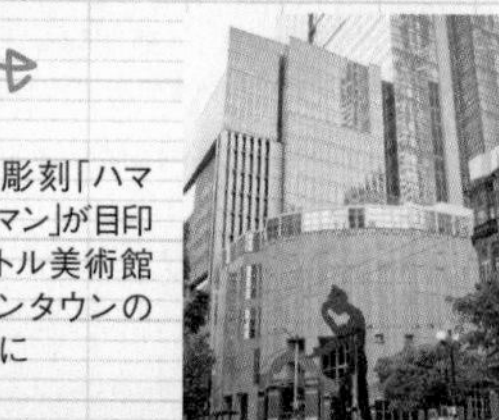

巨大な彫刻「ハマリング・マン」が目印のシアトル美術館もダウンタウンの中心部に

13:00 ノースウエスト料理のミストラル・キッチンでブランチ

14:30 10分ほど歩いてメルローズ・マーケットへ

15:00 メルローズ・マーケットをあとにして、ローカルに人気のエリア、キャピトル・ヒルをおさんぽ

17:00 ヴィクトローラ・コーヒー・ロースターズでシアトルのコーヒー文化に触れる

18:00 おさんぽをしながらニューアメリカ料理の人気店マージョリーへ

19:00 ローカルに混じってマージョリーでディナー

21:00 タクシーでホテルへ

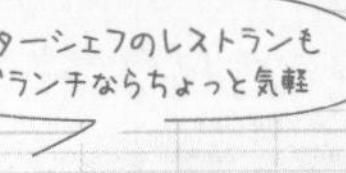

スターシェフのレストランもブランチならちょっと気軽

素材を生かした繊細な味とモダンな店内が魅力のミストラル・キッチン P.126

地元女性が注目するメルローズ・マーケット P.122にはロハスなお店が揃っています

履きやすくてかわいいシューズが揃うエディーズ P.132

エココンシャスなアイテムが並ぶニュービー・グリーン P.133

コーヒーの味もラテ・アートも、たっぷり楽しんでいってね

ヴィクトローラ・コーヒー・ロースターズ P.125でラテを

かわいい店内と料理が女性好みのマージョリー P.127

今日のごほうび

おいしいものを食べて、お気に入りを見つけて、とことんシアトルを楽しみました

きれいなラテ・アート。飲むのがもったいないくらい

おいしいコーヒーをいただきました。

思わず買ってしまったかわいい毛糸の人形 $8

フランズのソルティッド・キャラメルは家族へ$20

いちばんおいしかったのはコレ!

マージョリーの調理用バナナのチップスはクセになる味

防水加工のバッグは自分用に$90

お気に入りのワンショット

パイク・プレイス・マーケットで出会った女の子

シアトルのおさんぽは パイク・プレイス・マーケットから始めましょう

**シアトルの公営マーケットとして知られるこのマーケットは、
市民の台所であると同時に、シアトル屈指の観光名所。
多くの人でごった返す市場は見どころ満載であっという間に時間が過ぎてしまいます。**

1巨大なネオンサインと時計はマーケットのシンボル　2摘み立ての生花を目当てに来るローカルは多い　3週末ともなると多くの人が集まり、朝からすごい人混みに　4オーガニックの野菜や果物を売るお店もいっぱい

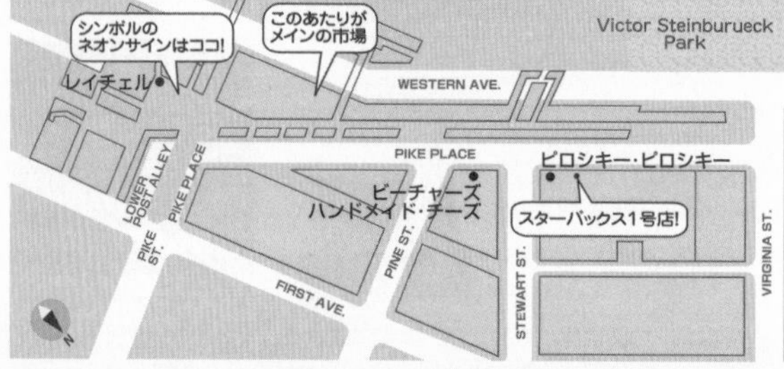

アメリカでも有数の歴史を誇る ノスタルジックな市場

1907年にオープンした公営マーケット。新鮮な魚介はもちろん、ワシントン州全域から集まる農産物や加工品、民芸品などのお店が軒を連ねる。豚のブロンズ像レイチェルは、市場のマスコット的存在。

パイク・プレイス・マーケット
Pike Place Market

MAP 別冊P.31 B-3　　ダウンタウン

所Pike St & 1st Ave.　交ウエストレイクセンターから徒歩4分　☎206-682-7453　営店舗により異なる
休無休　C店舗により異なる
URL www.pikeplacemarket.org

私もよくママと
一緒にお買い物に
来るの

ブタのレイチェルは貯金箱

マーケットのマスコットとして知られるブタのレイチェルは、じつは貯金箱。善意の寄付金は、マーケット内の活動に使われているそうですよ。

テイクアウトなら ココがおすすめ

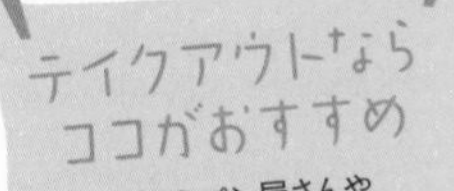

人気のパン屋さんや
チーズ屋さんは長蛇の列。
軽食が飛ぶように売れていきます。

大人気のピロシキはクセのない味

ピロシキー・ピロシキー
Piroshky Piroshky

家族経営の人気店。代々受け継がれてきた秘伝のレシピで作るピロシキは美味。行列は覚悟して。

営8:00～18:00（土･日曜～18:30）
休無休
URL www.piroshkybakery.com

5 店先の魚はどれも活きがいい
6 ここはスターバックス･コーヒーが初めて店を出した場所
7 ビーチャーズ･ハンドメイド･チーズは軽食にぴったり

店内には、工房で手作りされたチーズが並ぶ

ビーチャーズ･ハンドメイド･チーズ
Beecher's Handmade Cheese

手作りチーズの工房で、チーズを使った軽食も販売している。数々の賞を受賞してきた実力派。

営9:00～18:00　休無休
URL www.beechershandmadecheese.com

世界一の味と賞されるマック&チーズ

ランチは 海沿いの公園で

マーケットのすぐ裏には
海が見わたせる公園があり、
ひと休みにぴったり

いすとテーブルもあるのでランチもOK

ハンドメイドの雑貨を売る露店も

スターバックス･コーヒーは ここから始まりました

ここでしか買えないオリジナルタンブラー

店の前は長蛇の列。この街に来たらやっぱりこの店で飲んでみたい

マグカップも限定品。おみやげにもいい

世界制覇もこの場所から

スターバックス･コーヒー 1号店
1912 Pike Place

いまやマーケットの名所のひとつ。店の前では生演奏が行われ、道行く人たちを楽しませている。見慣れた緑ではなく、1号店は茶色の看板が目印。

MAP 別冊P.31 B-3

営6:00～21:00　休無休
URL www.starbucks.com

パイク・プレイス・マーケットは、約100年前、「市民が生産者から直接産物が買える」という理念のもとに作った公営市場です。

高感度なシアトル女性のお気に入り メルローズ・マーケットへ出かけましょう

エココンシャスなショップが並ぶメルローズ・マーケットは、
ローカルが今、もっとも注目するスポットのひとつ。
シアトルの"今"をのぞきに、ちょっと出かけてみませんか。

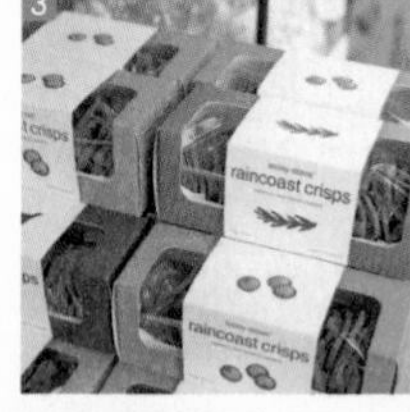

1温かみのあるマーケット内　2きれいな生花が目印のマリーゴールド・アンド・ミント　3カルフ&キッドの薄いビスケットはチーズと相性がよさそう　4笑顔がキュートなクレアはバター・ホームのオーナー　5ホームグロウンのTシャツは野菜柄がかわいい　6"自転車の街"らしく外にはバイクラックも　7シンプルなメルローズ・マーケットの外観

古い自動車工場を改装したマーケット エコを意識したショップが13店舗入る

打ちっ放しのコンクリートやレンガの壁、木製の梁、大きな窓ガラス……。1926年に完成した自動車工場を改装してオープンしたマーケットは、環境意識の高いローカルに大人気。エコなおみやげ探しにもぴったり。

メルローズ・マーケット
Melrose Market

MAP 別冊P.30 D-2　キャピトル・ヒル

所 1501-1535 Melrose Ave
交 パイク・プレイス・マーケットから徒歩20分
URL melrosemarketseattle.com

キッチン用品から生活雑貨までさまざまなものが並び、まるで宝探し気分

レシピダイスを転がして、今日の献立を決めよう

金魚の柄のエコバッグは、人目を引く素敵なデザイン

かわいい雑貨がいっぱい バター・ホーム
Butter Home

オーナーのクレアさんがセレクトした生活雑貨が並ぶ。他では見られないユニークで遊び心いっぱいのアイテムが豊富。

☎ 206-623-2626
営 11:00〜19:00
休 無休
C V、M、A
URL www.butterhomeseattle.com

シアトル生まれのポップコーン

東京・表参道のショップの前に長い行列ができるほど人気の「ククルザ・ポップコーン」は、シアトル生まれ。本店は、パイク・プレイス・マーケット➡P.120にもほど近いPike Stと3rd Stの角にあります。MAP 別冊P.31 C-3

地元酪農家のDinah's Cheeseは、ネバネバした食感が◎。ハーフ$9

季節ごとにさまざまなチーズが並ぶショーケース

チーズの専門ショップ

カルフ&キッド
The Calf & Kid

国内外70の酪農家から仕入れるチーズは一級品揃いで、季節によって品揃えが変わる。買う前に試食もさせてくれる。

☎206-467-5447 営11:00～19:00 休無休 CV、M、A URL calfandkid.com

生花のほか、エディブルフラワーなども売っている

ナチュラルな香りがうれしいサシェ

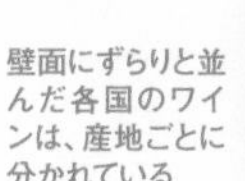

地元のファームが作るジャム$16も、オーガニックにこだわったアイテム

オーガニック農場のお店

マリーゴールド・アンド・ミント
Marigold and Mint

シアトルの東約50kmのところにあるオーガニック・ファームのショップ。生花のほかジャムやキャンドルなどもあるのでのぞいてみよう。

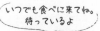

営206-682-3111 営10:00～19:00（日曜10:00～17:00） 休無休 URL www.marigoldandmint.com

週末ともなるとテラス席は人でいっぱいになる

ハウスサンドイッチも種類が豊富。ローカル、オーガニックなどの表示も

エコなサンドイッチを

ホームグロウン
Homegrown

新鮮な有機野菜など、素材にこだわるシアトル発のサンドイッチショップ。オーガニックのものを使い、地産地消にこだわっている。

☎206-682-0935 営8:00～20:00 休無休 営V、M URL www.eathomegrown.com

壁面にずらりと並んだ各国のワインは、産地ごとに分かれている

正統派ワインの品揃え

バー・フェルナンド
Bar Ferd'nand

気軽に立ち寄れるカウンターのバーコーナーにワインショップを併設。ローカルの好みに合わせたセレクトで、フランスワインも多い。

☎206-623-5882 営11:00～22:00（月・日曜～20:00） 休無休 CV、M URL www.barferdinandseattle.com

ボランティアパークMAP 別冊P.28 D-3は、NYのセントラルパークの設計で有名なオルムステッド・ブラザースのデザインです。

グルメコーヒーの聖地シアトルでは やっぱりカフェはハズせません

スターバックス・コーヒーが誕生した街シアトルは、
コーヒー豆の質はもちろん、焙煎方法、入れ方、ラテアートに至るまで
こだわりのカフェが目白押し。ローカルに人気のお店をのぞいてみましょう。

この店なしにシアトルのコーヒーは語れない

落ち着いた雰囲気の店内では、勉強や仕事に励む人も多い

ラテ・アート拝見

流れるようなラインがポイント。「今日はうまくできた」と笑顔を見せるショマー

ラテ・アートの教材用ビデオも作成した、ショマーのみごとな技

1988年に奥さんと2人で開いた最初のコーヒースタンド

私たちがこだわるのは
コーヒーの味わい。
ラテ・アートは、あくまで
コーヒーを美しく飾る
ためのものなんです

本店は、流行の発信地として知られるブロードウェイにある

エスプレッソ・ヴィヴァーチェ
Espresso Vivace

1988年オープンのグルメロースターの店

シアトルのラテ・アートの第一人者で、グルメロースターのデビット・ショマーがオーナーのカフェ。エスプレッソの味、豆の品質、バリスタの技術、店の雰囲気など、どれをとってもトップクラスで、ローカルの信頼はあつい。

MAP 別冊P.30 E-1 キャピトル・ヒル

所532 Broadway Ave E 交メトロバス49番Broadway E & E Mercer Stから徒歩2分 ☎206-860-2722
営6:00～23:00 休無休 CV、M、A
URL www.espressovivace.com

インディペンデント系カフェ

スタバなど大型チェーンが席巻するシアトルですが、ここに来たら、独自のこだわりを持つインディペンデント系のカフェを訪ねてみて。忘れられない味と出会えるかもしれません。

ヴィクトローラ・コーヒー・ロースターズ
Victrola Coffee Roasters

地元では"クールな店"と評判

シアトルで3店舗展開するインディペンデント系のカフェ。店内にはロースターもあり、挽き立てのコーヒーが飲める。個人宅のリビングルームのようなイメージの店内は居心地抜群。

MAP 別冊P.30 D-2　キャピトル・ヒル

住310 E Pike St　交パイク・プレイス・マーケットから徒歩20分　☎206-624-1725
営6:30～20:00（土・日曜7:30～）
休無休　C V、M、A
URL www.victrolacoffee.com

ラテ・アート拝見

温かみが感じられるロゼッタ状の葉のラテ・アート

米国で人気の高いカフェトップ10に入ったこともある実力派

もとは自動車工場だったという建物は天井が高くて開放感がある

私たちもラテ・アートを勉強中です

日本語が得意なので、見かけたら話しかけてね

鮮やかなブルーと黄色のコントラストが美しい外観は、よく目立つ

フェアトレードのオーガニックコーヒーを使う人気店

コーヒーを飲みながら、パソコンに向かって仕事をしている人も

このあたりはIT関連の仕事をしている人が多いの

ラテ・アート拝見

こだわりの豆を独自ブレンドしたカフェ・ラテは深みのある味わい

内装も外観も街の個性に合わせているので、エリアにより店の雰囲気は異なる

カフェ・ラドロ
Caffe Ladro

環境にやさしいコーヒー店を標榜

フェアトレードをシアトルで最初に訴え始めた、ローカルのインディペンデント系コーヒーショップ。市内と近郊に15店舗を展開する。自社のベーカリーで焼いたペストリーも人気。

MAP 別冊P.28 C-2　フリーモント

住452 N 36th St　交メトロバス28番N 36th St & Dayton Ave Nから徒歩1分
☎206-675-0854　営5:30～23:00　休無休　C V、M、A　URL www.caffeladro.com

ローカルに根づいたカフェではエリアによって客層がガラリと変わります。お気に入りのエリアのカフェに入って人間観察をするのも楽しいですよ。

ローカルの人たちも足繁く通う おしゃれなレストランはこちらです

シアトルのグルメ・シーンは高水準。
スターシェフの洗練された味からローカルのママの味まで
地元の人も「おいしい」と太鼓判を押す味を、ぜひ、自分の舌で確かめてみて。

ノースウエスト料理

スタッフのチームワークも最高なんだ

スターシェフの繊細な味をご賞味あれ

ミストラル・キッチン
Mistral Kitchen

シアトルで十指に入るスターシェフ、ウィリアム・ベリキスの店。素材の味を重視したやさしい味付けが高感度なローカルに人気だ。「昼も夜もハッピーアワーも、いつでもおいしい料理を楽しんでほしいんだ」とベリキスは笑顔を向ける。

MAP 別冊P.31 C-2 ダウンタウン

所2020 Westlake Ave 交パイク・プレイス・マーケットから徒歩12分
☎206-623-1922 営11:00～14:00、16:00～22:00（ブランチ土・日曜の11:00～14:00、金・土曜～24:00、ハッピーアワー（毎日）16:00～18:30）
休無休 ⒸV、M、A URLmistral-kitchen.com

6ラムベースのカクテルは色がキレイ 7右から2番目がシェフのベリキス

おすすめMENU
・メイン州産ホタテ貝シェフズチョイス $15
・ミックス・グリーンサラダ $10

1硬質でモダンな店内はとてもスタイリッシュ 2ホタテ貝のグリルはグリーンピースのソースが爽やか 3グリーンサラダは、野菜本来の味が引き出されていてほんとうにおいしい。ドレッシングの味がみごと 4シアトル版まぐろの刺身 5デザートも甘味を抑えた繊細な味

ノースウエスト料理って？

海と山に囲まれたシアトルは、新鮮な魚介やオーガニック野菜など、おいしい食材の宝庫。そんな地元の食材を使い、ヨーロッパやアジアの料理のテイストを加えたのがノースウエスト料理です。

ニューアメリカ料理

バナナのチップス（奥）はお店の自慢料理

ポップな雰囲気の店内

1ドリンクも種類豊富　2「上質の食材をシンプルに料理するのがウチのモットー」と話すドナ

ジャマイカ出身のママの味をキュートな空間で

マージョリー

Marjorie

マージョリーとは、オーナーであるドナの母親の名前。母の手料理をベースにしたメニューは、どれも懐かしい味わい。ドナのアイデアが生かされた店内はとてもチャーミング。

おすすめMENU
- ・ストークスベリー農家のローストチキン　$28
- ・バナナチップス$12

MAP 別冊P.30 F-2　キャピトル・ヒル

所1412 E Union St　交メトロバス2、10、11、12、84番E Madison St & 14th Aveから徒歩2分　☎206-441-9842　営17:00～22:00（金・土曜～23:00）　休無休　CV、M　URL www.marjorierestaurant.com

交通至便のダウンタウンで美味なアメリカ料理に舌鼓

ノースウエスト料理

ルコショ

Lecosho

シアトル美術館のそばにあって、オーガニックの食材と地産地消にこだわる人気のレストラン。シーフードを使った料理はどれもおいしい。自慢の味をご賞味あれ。

MAP 別冊P.31 C-4　ダウンタウン

所89 University St at the Harbor Steps
交パイク・プレイス・マーケットから徒歩5分
☎206-623-2101　営11:00～15:00、17:00～22:00（金・土曜～23:00、ハッピーアワー（毎日）15:00～18:00、レイト・ナイト・メニュー各閉店時間～翌1:00）
休無休　CV、M、A　URL lecosho.com

おすすめMENU
- ・自家製ソーセージのグリル　$10
- ・鮭のグリル$30
- ・タコのグリル$14

1キッチンでキビキビ働くスタッフの姿が小気味いい　2キングサーモンのグリルはシンプルな味つけ　3タコのグリルは付け合わせの野菜との相性が抜群　4広々とした店内はゆっくり食事が楽しめる

シアトルでいちばんおいしいパン屋さんと評判のマクリナ・ベーカリー＆カフェ MAP 別冊P.31 B-2。焼きたてのパンとラテの朝食を、ぜひ。

シアトル発のチョコレート・ショップで おいしいおみやげを見つけましょう

シアトルは知る人ぞ知る"チョコレート天国"。
大小のアルチザン（職人）・チョコレート・メーカーがたくさんあります。
なかでも訪ねてみたい2つのお店を紹介します。

高級店らしい雰囲気が漂うが、お店の人はフレンドリー

ショーケースには手作りのチョコがずらり

アメリカのグルメ・チョコレートの代表格

好きなチョコを選び、箱詰めにしてもらうこともできる

大きなガラス窓の向こうには、1st Aveを行き交う人の姿が

店内のカフェコーナーで街行く人を眺めながらコーヒーとチョコを

オバマ夫妻もお気に入りのソルティッド・キャラメル

ソルティッド・キャラメルはベストセラー・チョコ

母のチョコは最高。私がいちばんのファンよ

フランズ・チョコレートのCEOを務めるフランの娘、アンドリーナ

上品な甘味がファンの心をとろけさす

フランズ・チョコレート

Fran's Chocolates

アメリカのアルチザン・チョコレート・ブームの立役者として知られるフラン・ビゲローのショップ。 オーガニックで上質な地元産の材料を使った手作りチョコは、やさしい味わいが魅力。大切な人へのおみやげにぴったり。

 別冊P.31 C-4　　ダウンタウン

所1325 1st Ave　交パイク・プレイス・マーケットから徒歩3分
☎206-682-0168　営9:30～19:30（日曜は11:00～18:00）　休無休
CV、M、A　URL www.franschocolates.com

フェアトレードのカカオ豆

チョコレート・ボックスでも販売しているTheo（テオ）は、オーガニックで育てたカカオ豆をアメリカで初めてフェアトレードで輸入した会社。フリーモントにある工場の見学ツアーも実施しています。

いろいろなブランドが集まるチョコのセレクトショップ

おいしそう、僕も食べたいな

1個売りのチョコも、いろいろなメーカーのものが並んでいる

約100年の伝統を誇る老舗ショップのチョコ

Spokandy Chocolatier
シアトルの東約400kmにあるスポケーンという街の手作りチョコ・メーカー

アカデミー賞の公式チョコにも選ばれたことがある高級ブランド

Moonstruck Chocolate
ポートランド発のメーカー。甘さ控えめで、日本人の舌にもぴったり。今はトリュフのみを販売

ローカルいち押しのオーガニック・チョコ・ブランド

Theo
フェアトレードのカカオ豆を使用。オーガニック・チョコの元祖

地元のチョコ・メーカーがズラリ

チョコレート・ボックス
Chocolate Box

パイク・プレイス・マーケットからもほど近い、ダウンタウンの中心部にあるチョコのセレクトショップ。ノースウエストの有名チョコレート・メーカーの商品がずらりと並ぶ。また、独自でセレクトしたワシントン州やオレゴン州の良質なワインも販売している。

MAP 別冊P.31 C-3 ダウンタウン

所106 Pine St 交パイク・プレイス・マーケットから徒歩3分 ☎206-443-3900
営10:00～19:00（金・土曜～20:00、冬季は～18:00） 休無休 CV、M
URL www.sschocolatebox.com

オバマ夫妻御用達のフランズのソルティッド・キャラメル。選挙活動でシアトルを訪れた際に差し入れされて、気に入ったのがきっかけだそうですよ。

機能性もおしゃれ感も文句なし シアトル発のアウトドアショップ

豊かな自然に囲まれたシアトルでは、みんなアウトドアライフが大好き。
通勤に自転車を使うのはもちろん、トレッキングやスキーも日常的な遊びです。
だから、ウエアや小物もすごく進化しているんです。

人気のストラップバケットハット

ソイファイバーのストレッチスカート

タウンユースもOKなおしゃれアイテム

シャーリングがポイントのジップアップ

コンパクトに折りたたむことができるので、とっても便利

バッグ$30～やウォレット $18も見逃せない

山歩きやビーチウェアでも重宝しそうなパンツ$60～

サイクリングやハイキングにぴったり

おなじみのキャップはカラーもいろいろ$30

タウンユースとして楽しめるアイテムがいっぱい

カブー
KAVU

日本でもお馴染みのブランドで、ショップはこの店舗のみ。エコな素材を取り入れた、機能性の高いアイテムを提供する。不定期にセールが行なわれるのでお買い得が見つかるかも。

MAP 別冊P.28 A-1 バラード

所5419 Ballard Ave NW 交メトロバス17・18番NW Market St & Ballard Ave NWから徒歩3分 ☎206-783-0060 営10:00～19:00(日曜～17:00) 休無休 CV、M、A URL www.kavu.com

タウンタウンから少し離れているけど、ショップのあるバラードはいいところだよ

気さくなショップ・スタッフ

優秀なアウトドアアイテムが多いのは？

海はもちろん、湖や森が自宅のすぐ近くにあるシアトルでは、みんな当たり前のように自然に親しんでいます。必要があるからグッズも進化する。シアトルのアウトドアアイテムが優秀なのは、そんなローカルの生活習慣が要因なのかもしれませんね。

薄手のダウンジャケットは街着にも$235

機能的なランナー用のTシャツ$39

軽くて通気性や速乾性に優れたアイテム

フード付きのインナーは防寒に便利$75～

山ガール御用達のウエア

防水加工が施された帽子とウエア

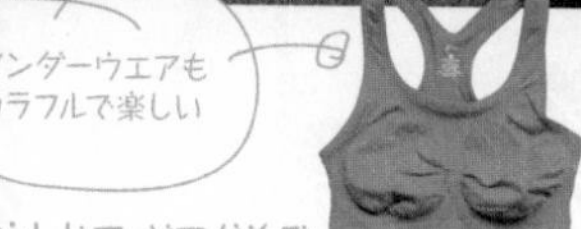

アンダーウエアもカラフルで楽しい

スポーツ用のブラ$55～とパンツ$30～

私たちもアウトドア大好き。気軽に何でも聞いてね

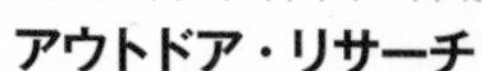

機能性の高いアウトドア・ギアが並ぶ

アウトドア・リサーチ
Outdoor Research

アウトドア派のニーズに応えるウエアやギアを揃える。店内には、ウエアだけでなく高機能なギアがいっぱいで見ているだけでも楽しい。アウトドア派にはうれしいお店。

MAP 別冊P.29 D-6　インターナショナル・ディストリクト

所 2203 1st Ave S　交 メトロバス21・22・56番1st Ave S & S Lander Stから徒歩3分　☎ 206-971-1496　営 10:00～19:00（土曜～18:00、日曜12:00～17:00）　休 無休　C V、M　URL www.outdoorresearch.com

スタッフはみんな知識豊富

リサイクル素材を使った雑貨やオーガニック素材のウエアなど、シアトルのアウトドアショップには、エコにこだわった商品も多いんです。

地元のおしゃれな女性は こんなショップに注目しています

環境問題に関心の高いシアトルの女性たちは、やっぱりナチュラル志向。着心地がいいウエアや足にやさしいシューズ、自然素材の雑貨などが人気です。ローカル御用達のショップを訪ねてみましょう。

キュートなデザインと はきやすさが魅力

坂が多い シアトルでは 歩きやすい靴が 人気なの

スニーカーやぺたんこのサンダルもいろいろ

ヒールが高いけれど、ウェッジヒールだから安定感あり

おしゃれなシューズが 整然と並び とっても見やすい

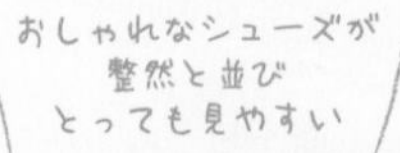

ピンクがかわいいシューズ$110～

防水加工を施した大きめバッグ$90～

革と布を組み合わせた地元アーティストデザインのバッグ

地元アーティストデザインのトート$180～

履き心地がよくてかわいい靴

エディーズ Edie's

靴とバッグのセレクトショップ。坂が多い街だけに、コンセプトは「トレンディで実用的」。地元アーティストのバッグなど、ここならではの商品も多い。

MAP 別冊P.30 E-2　キャピトル・ヒル

住500 E Pike St　交パイク・プレイス・マーケットから徒歩20分
☎206-839-1111　営10:00～19:00（日曜12:00～17:00）
休無休　C V、M、A　URL www.ediesshoes.com

歩きやすいと評判のシューズ$110～

シアトル発はまだまだある

ダウンタウンのノードストローム MAP 別冊P.31 C-3は、シアトル発のシューズ・ショップとしてスタートし、全米にチェーンを広げたデパート。カジュアルなデザインが人気のエディー・バウアーやアウトドア・アイテムのアールイーアイなどもシアトル発の人気ブランドです。

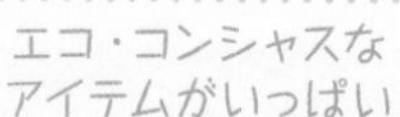

エコ・コンシャスな
アイテムがいっぱい

アースカラーの商品が並ぶ店内

古いスカーフを地元デザイナーがリメイクしたトップス$84

コットン・キャンバス地のエプロンやナプキン

レトロな感じの小さなクッション

文具から雑貨、洋服まで幅広い品揃え

ユニークでかわいい雑貨ならココ

ニュービー・グリーン Nube Green

古いスカーフを利用したトップス、ビールの瓶で作ったグラスなど、エココンシャスなものを集めた雑貨屋さん。他では見られない、キュートでユニークなものが多いのが魅力。

MAP 別冊P.30 F-2　　キャピトル・ヒル

所1527 10th Ave　交パイク・プレイス・マーケットから徒歩25分
☎206-402-4515　営11:00〜18:00（金・土曜10:00〜18:00、日曜10:00〜17:00）　休無休　CV、M、A　URL www.nubegreen.com

楽しいペーパーグッズが
勢揃い

ギフトボックスはカラーもいろいろ$30〜

作り手の遊び心が伝わるディスプレイ

書かれている言葉が面白いタグ

ユニークな商品がたくさんあるので、見ていってね

カラフルなノートはデザインも◎

おみやげにぴったりの雑貨がいっぱい

ペーパー・ハンマー Paper Hammer

見ているだけで楽しくなる遊び心あふれるペーパーグッズは、ほとんどが自社のスタジオで手作りされている。ディスプレイは、インテリアの参考にもなりそう。

MAP 別冊P.31 C-4　　ダウンタウン

所1400 2nd Ave　交パイク・プレイス・マーケットから徒歩5分
☎206-682-3820　営11:00〜18:00　休日曜　CV、M、A
URL www.paper-hammer.com

ダウンタウンにあるパシフィック・プレイスは人気のブランドが集まるショッピングセンター MAP 別冊P.31 C-3。時間がないときに便利です。

シアトルの ホテルセレクション

豊かな自然と都会的な雰囲気が溶け合ったシアトルには、
居心地のいいブティックホテルがいっぱい。
女性に人気の評判のいいホテルをご紹介しましょう。

ホテルのレストラン

ソレント・ホテルに隣接する「ハント・クラブ」は、地元の人たちに人気のアメリカ料理レストラン。朝食や昼食、ブランチにおすすめです。

小規模で
温かみのある雰囲気

イン・アット・エル・ガウチョ
The Inn at El Gaucho

ダウンタウンの中心部から歩いて10分ほどのところにある、17部屋のみの小さなホテル。客室やロビーに飾られている古い映画のポスターや往年の名女優の写真が、ちょっぴりレトロな雰囲気とマッチして心がなごむ。

MAP 別冊P.31 A-2　　ベルタウン

所2505 1st Ave　交パイク・プレイス・マーケットから徒歩10分　☎206-728-1133
室17室　料Q/T$169～
CV、M、A　URLelgaucho.com

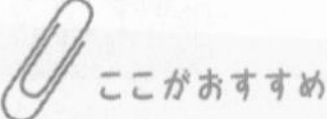

ここがおすすめ

レストランはないが、近くにシアトル一おいしいといわれるマクリナ・ベーカリー&カフェがある。

1広々とした客室。シンプルで落ち着いた感じのインテリアもいい　2清潔感あふれるバスルーム　3スタッフはもの静かだけれどとてもフレンドリー

ダウンタウン　イン・アット・ザ・マーケット
Inn at the Market　MAP 別冊P.31 C-3

マーケットに隣接する評判の高いホテル

所86 Pine St　交パイク・プレイス・マーケットからすぐ
☎206-443-3600　FAX206-448-0631
室71室　料Q/T$259～　CV、M、A、D
URL www.innatthemarket.com

ダウンタウン　アレクシス
Alexis Hotel　MAP 別冊P.31 C-4

地元アーティストの作品が並ぶ

所1007 1st Ave　交パイク・プレイス・マーケットから徒歩5分　☎206-624-4844　FAX206-621-9009
室121室　料Q/T$169～　CV、M、A、D、J
URL www.alexishotel.com

©Brandy Campbell

ダウンタウン　ソレント
Sorrento Hotel　MAP 別冊P.31 C-4

歴史ある豪華ホテル

所900 Madison St　交パイク・プレイス・マーケットから徒歩5分　☎206-622-6400　FAX206-343-6155　室76室
料Q/T$199～　CV、M、A、D
URL www.hotelsorrento.com

©Sorrento Hotel

ダウンタウン　モナコ
Hotel Monaco　MAP 別冊P.30 D-4

ポップなインテリアに心がなごむ

所1101 4th Ave　交パイク・プレイス・マーケットから徒歩10分
☎206-621-1770　FAX206-621-7779　室189室
料Q/T$169～　CV、M、A、D、J
URL www.monaco-seattle.com

©David Phelps

ダウンタウン　ヴィンテージ
Hotel Vintage　MAP 別冊P.30 D-4

部屋ごとに地元ワイナリーの名前がつく

所1100 5th Ave　交パイク・プレイス・マーケットから徒歩12分　☎206-624-8000　FAX206-623-0568　室125室
料Q/T$169～　CV、M、A、D、J
URL www.hotelvintagepark.com

©John Valls

ベルタウン　アーンドラ
Hotel Ändra　MAP 別冊P.31 C-2

北欧デザインのスタイリッシュなホテル

所2000 4th Ave　交パイク・プレイス・マーケットから徒歩5分
FREE877-448-8600　室119室
料Q/T$189～　CV、M、A、D、J
URL www.hotelandra.com

＊ホテルの料金は通常ルームチャージ、各部屋の定員まで宿泊でき1人で泊っても料金は同じ。またシーズンや曜日などにより変動します。

ロハスな街のアウトドアな日常

健康意識が高く、自転車通勤している人も多いシアトル。
街を歩くと、アウトドア・ライフが日常生活に溶け込んでいるのが分かります。そんなひとこまをピックアップ

シアトルの人はアウトドアが大好き。そういう私もアウトドア派です

僕もレイクサイドのおさんぽは大好きさ

犬とおさんぽ

芝生の公園でピクニック

ウォーキング

ジョギング

パパのうしろだから楽ちんだよ

サイクリング

レイク・ユニオンをクルーズするのもステキです

シアトルでも人気の高いアゴシー・クルーズ。なかでも人気はユニオン湖からワシントン湖をめぐるツアーで、あのビル・ゲイツの家も見られます。

アゴシー・クルーズ Argosy Cruises

MAP 別冊P.31 C-4　ダウンタウン

所 1101 Alaskan Way, Pier 55　交 パイク・プレイス・マーケットから徒歩7分　☎206-622-8687、888-623-1445　C V、M、A
URL www.argosycruises.com

ビル・ゲイツの豪邸も望めます

こんな乗り物も発見！

まずはアメリカの出入国について おさえましょう

**年々セキュリティチェックの厳しくなるアメリカ。
出入国の手順を知っていれば慌てずにすみます。空港への早めの移動も心がけましょう。**

アメリカ入国の流れ

1 到着 Arrival

到着後、飛行機を降りたら、最初に入国審査を受ける。表示に従って進むとアメリカ国籍（US Citizen）と、外国人（Visitorsなどと表示）の列があるので外国人の列に並ぶ。

2 入国審査 Immigration

パスポート、青色の「税関申告書」（家族で1枚）、帰りの航空券（Eチケットの場合は旅程確認書）を係官に提示。滞在目的や滞在日数などを質問されることもある。また、入国審査の際に、顔写真の撮影と指紋採取が実施されている。審査終了後、入国スタンプが押されたパスポートと税関申告書が返される。

3 手荷物受け取り Baggage Claim

入国審査後、荷物受取（Baggage Claim）へ。搭乗便名が掲示されたターンテーブルで荷物を受け取る。

4 税関 Customs

税関（Customs）に申告するものがなければ緑のランプ、あれば赤いランプのブースに荷物を持って並び、入国審査で返された税関申告書を提出する。肉及び肉製品、植物、果実などの持ち込みは原則禁止。カップ麺や粉末スープなどの加工品も申告の対象になるので注意。

5 到着ロビー Arrival Lobby

税関通過後、外に出ると到着ロビー。市内へは各種の交通手段があるので、表示に従って乗り場へ。

アメリカ入国の際には事前申請が必要！

ビザなしでアメリカを訪れるには、ESTA（エスタ／電子渡航認証システム）への登録が必要。渡航前にESTA公式サイト URL https://esta.cbp.dhs.gov（日本語版あり）にアクセスし、英語で名前や生年月日などを入力して申請する。申請料金は$14で、クレジットカードで支払う。本人以外でも申請できるが、旅行会社や代行サイトは手数料が必要。登録は原則2年間またはパスポート有効期限まで有効

アメリカ出国の流れ

1 空港へ To Airport

セキュリティチェックに時間がかかるため、出発の3時間前までには到着しておこう。航空会社によっては出発時刻の72時間前までにリコンファーム（予約の再確認）が必要な場合もあるので、事前に確認を。

2 チェックイン Check in

航空会社のカウンターでパスポートと航空券（Eチケットの場合は旅程確認書）を提出。預ける荷物は施錠できないので、スーツケースにはベルトを忘れずに。

3 出国審査 Immigration

航空会社のカウンターでチェックインと同時に、出国審査も終了。出国審査ブースはない。

4 セキュリティチェック Security Check

手荷物検査とボディチェック（靴や上着も脱ぐ）を受ける。セキュリティチェックポイントから先の空港内及び航空機内への液体類の持ち込みが制限されている。また、ライターやマッチの持ち込みは1人1個まで。

5 出発ロビー Departure Lobby

搭乗券に記載されている搭乗ゲートへ。出発を待とう。

●日本帰国時の免税範囲 ※未成年者の場合、範囲内でも免税にならない。

酒類	3本（1本760mℓ程度のもの）※
たばこ	紙巻200本、葉巻50本、そのほか250gのいずれか1種。2種類以上を持ち込む場合は、換算して250gまで。空港の免税店などで購入した日本製たばこは外国製たばことは別に、上記と同じ数量まで免税 ※
香水	2オンス（1オンスは約28cc）
その他の品物	20万円。品物の合計額が20万円を超える場合、20万円の枠におさまる品物が免税、それ以外のものが課税対象に。合計額1万円以下の同一品目はすべて免税

●日本への持ち込み制限

ワシントン条約で規制されている動植物や物品（象牙、ワニ皮製品、ヘビ・トカゲ製品、ベッコウ製品、毛皮・敷物の一部、ランなど）／家畜伝染病予防法・植物防疫法で定められた動植物／麻薬類、通貨・証券の偽造品、猟銃、空気銃、刀剣など／偽造ブランド品など、知的財産権を侵害する物品／医薬品や化粧品なども数量制限がある

厳しいアメリカのセキュリティチェック

アメリカに発着するすべての航空路線で、液体、ジェル状やクリーム状のものなどの機内持ち込みが制限されています。化粧品なども全て対象。ライター、マッチの持ち込みも制限（預け荷物内も禁止）。各航空会社のウェブサイトで事前に確認しておきましょう。また、預け入れのスーツケースには施錠できません。ベルトを忘れずに。

税関申告書の記入例

U.S. Customs and Border Protection

税関申告書

到着する渡航者各個人、または家族の世帯主には、以下の情報を提供することが義務づけられています。(申告書は一家族につき一通のみです)。「家族」とは、血縁関係、婚姻関係、慣習婚姻関係、または養子縁組による家族関係を持ち、同じ世帯に居住している者を意味します。

1 姓（苗字） SHOBUN ❶
名（ファーストネーム） CHIAKI ミドルネーム
2 誕生年月日 月 1 0 日 0 4 西暦年 9 4 ❷
3 渡航に同行している家族の人数 0 ❸
4 (a) 米国における滞在・居住先の住所（番地と通り）（ホテルの名称・訪問先） HOTEL LOS ANGELES ❹
(b) 市 LOS ANGELES (c) 州 CA
5 旅券発行国 JAPAN ❺
6 旅券番号 AB1234567 ❻
7 居住国 JAPAN ❼
8 今回渡米に先立って訪れた国・国々 ❽
9 航空会社・便名もしくは船舶名 NH1052 ❾
10 今回の渡米の主要目的はビジネスです： ❿ はい　いいえ ✔
11 私(私達)は、以下の物品を所持しています： ⓫
(a) 果物類、野菜類、植物類、種物、食物、昆虫類： はい　いいえ ✔
(b) 肉類、動物、動物/野生生物製品： はい　いいえ ✔
(c) 病因体、細胞培養、巻貝類： はい　いいえ ✔
(d) 土壌、あるいは、私(私達)は、農場・牧場・牧草地にいました： はい　いいえ ✔
12 私(私達)は、家畜の近くにいました：（家畜との接触、または処理・扱いなど） ⓬ はい　いいえ ✔
13 私(私達)は、現在通貨、または、金融商品にして、10,000ドル以上の米ドル、または、それに相当する外国通貨を所持しています：（金融商品の定義は裏面参照） ⓭ はい　いいえ ✔
14 私(私達)は、市販用商品を所持しています：（販売対象になる商品、または、発注を促す目的で使用する試供品、または、個人の身の回りの所持品の範疇に当てはまらない物品） ⓮ はい　いいえ ✔
15 米国居住者—市販用商品を含め、海外で購入、あるいは取得した物品（他人への贈与品も含める、ただし米国に郵送したものは含まない）の総額： $
渡航訪問者—米国に残していく物品の総額—（市販用商品込み）： ⓯ $ 85

この書式の裏面にある記入説明文をお読みください。申告義務のある全ての品目について記入する欄が設けてあります。
私は、この書式の裏面にある重要な情報項目を読み、真実に基づいた申告をしました。

X 昭文千秋 ⓰　10/29/2015 ⓱
署名　日付(月/日/年)
CBP Form 6059B (04/14) Japanese

❶上段＝姓、下段＝名
❷生年月日（日、月、西暦年の下２ケタの順）
❸同行している家族の人数
❹（a）米国の滞在先の住所（最初に宿泊するホテル名）
（b）滞在先の都市名（c）滞在先の州名（CAまたはWAと記入）
❺旅券（パスポート）発行国
❻旅券（パスポート）番号
❼居住国（日本在住はJAPAN）
❽経由国名（なければ空欄）
❾利用航空機便名（搭乗券に記載されている）
❿～⓮各項目、はい／いいえにチェック
⓯上段＝米国居住者への質問　下段＝訪問者への質問ー市販用商品を含む米国内に残す予定の物品価値総額
⓰署名（パスポートと同じサインを記入）
⓱記入日（月、日、西暦年の順）

日本からアメリカ西海岸へのおもなアクセス

●ロサンゼルス

日本ーロサンゼルス間　直行便所要時間

成田国際空港	約10時間
東京国際空港（羽田）	約10時間

●サンフランシスコ

日本ーサンフランシスコ間　直行便所要時間

成田国際空港	約9時間30分
東京国際空港（羽田）	約9時間10分
関西国際空港	約10時間

●サンノゼ

日本ーサンノゼ間　直行便所要時間

成田国際空港	約9時間30分

●シアトル

日本ーシアトル間　直行便所要時間

成田国際空港	約9時間30分

直行便のあるおもな航空会社

ANA（NH）
☎0570-029-333　URL **www.ana.co.jp**

ユナイテッド航空（UA）
☎03-6732-5011　URL www.united.com

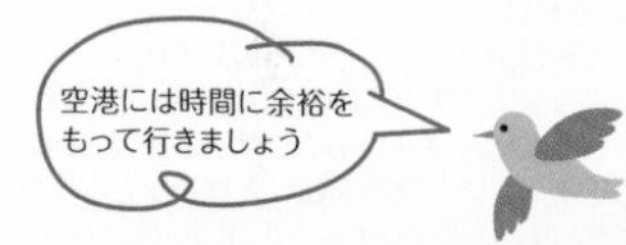

ロサンゼルス、サンフランシスコ、シアトル 空港から街へのアクセスはどうなっているの？

3都市とも日本からの直行便が運航する。空港から市内へは、シャトル・バンが便利。サンフランシスコやシアトルなら鉄道も利用できる。

ロサンゼルス国際空港 (LAX)

Los Angeles International Airport

☎310-646-5252 URL www.lawa.org/welcomeLAX.aspx

LAXと呼ばれる西海岸最大の空港。サンタモニカから海岸線を南下したところにある。ターミナル間の移動は基本的にLAXシャトルを利用。

ターミナル3
ジェットブルー
ヴァージン・アメリカ

ターミナル1
サウスウエスト航空

ターミナル2
エア・カナダ
ウエストジェット航空

トム・ブラッドレー国際線ターミナル
ANA
JAL
アシアナ航空
コリアンエアー
シンガポール航空
チャイナエアライン

ターミナル4
アメリカン航空

ターミナル5
デルタ航空

ターミナル6
ユナイテッド航空
アラスカ航空

ターミナル7
ユナイテッド航空
ユナイテッド・エクスプレス

ターミナル8
ユナイテッド航空
ユナイテッド・エクスプレス

空港から市内へのアクセス

シャトル・バンやタクシーが便利
主要スポットへ行くならフライアウェイ・バスも

シャトル・バン

空港から各ホテルまで直行する小型の乗合バス。数社が運行している。到着フロアの外に乗り場があるので、係員に行き先を告げて手配をしてもらう。乗合のため、所要時間は乗客の人数などによって異なる。料金も会社によってまちまちだが、目安はダウンタウン$17、サンタモニカ$22、ビバリーヒルズ$26くらい。降りるときに料金とチップ（$1～2）をドライバーに支払う。なかには満席になるまでなかなか出発しなかったり、高額な料金を請求するものもあるので、利用前に必ず確認すること。24時間運行。

スーパー・シャトル　Super Shuttle
FREE 800-258-3826
URL www.supershuttle.com

タクシー

希望の場所まで直行できるので安心。3人以上で乗るなら、シャトル・バンより安くなる。荷物が多い場合も便利。ターミナルにあるタクシー乗り場から必ず乗ること。所要時間はダウンタウンまで約30分、ビバリーヒルズまで約20分。料金の目安はダウンタウンまで$46.50均一、ビバリーヒルズで約$50。このほかに空港からだと$4が加算されるほか、15%ほどのチップが必要。大きな荷物を出し入れしてもらったら、荷物1つにつき$1程度のチップも追加しよう。

フライアウェイ・バス

空港とダウンタウンのユニオン駅、ハリウッド、サンタモニカなどを結ぶバス。乗場は各ターミナルの到着フロア外にあり、緑色の「Fly Away」の看板が目印。料金は$9（ハリウッド、サンタモニカ行きは$8）で、クレジットカードが必要。所要30分～1時間。ユニオン駅行きは24時間、30～60分間隔で運行。6路線あるので、乗車の際は行き先の確認を忘れずに。

フライアウェイ・バス　FlyAway Bus
FREE 866-435-9529　URL www.lawa.org/flyaway

メトロレール

LAXシャトルのGラインがメトロ・グリーンラインのAviation駅まで連絡している。ダウンタウンへは、Aviation駅から東（Norwalk）方面に乗り、Willowbrook/Rosa Parks駅でメトロ・ブルーラインの北方面に乗り換え、7th St/Metro Center駅へ。南方面に乗り換えるとロングビーチへ行ける。ただし、大きな荷物を持っている場合はおすすめできない。所要時間は、ダウンタウンまで約1時間。料金は$1.75。

メトロレール　Metro Rail
☎323-466-3876　URL www.metro.net

レンタカー

各レンタカー会社のシャトルがターミナルを巡回しているので、利用するレンタカー会社のシャトルに乗って空港周辺のオフィスへ向かう。レンタカーは現地で直接借りることもできるが、なるべく日本で予約しておこう。

タクシー利用の注意点

空港からタクシーを利用する場合、必ず正規の乗り場から乗車するようにしましょう。声をかけてくる「白タク」は相手にしないこと。法外な料金を請求される場合があります。

サンフランシスコ国際空港（SFO）

San Francisco International Airport

☎650-821-8211 URL www.flysfo.com

国際線、国内線の各ターミナルや駐車場、レンタカーセンターなどを結ぶ無料のモノレールやエアトレインが巡回している。

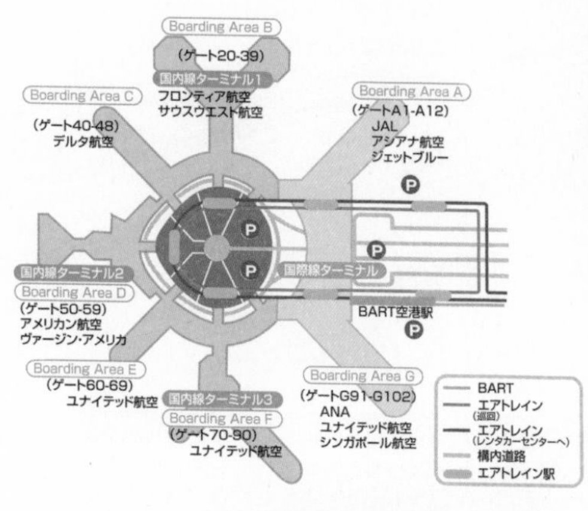

空港から市内へのアクセス

シャトル・バンやタクシーが便利
ダウンタウンならバートもおすすめ

バート

空港と市内中心部を結ぶ高速鉄道。空港のBART駅は国際線ターミナルの出発階にある。ダウンタウンへは、Pittsburg/Bay Point駅行き（Pittsburg/Bay Point-SFO-MillbraeLine）を利用。片道$8.95。所要時間は約30分。早朝から深夜まで15～20分間隔で運行。

☎415-989-2278、650-992-2278 URL www.bart.gov

シャトル・バン

同じ方面に行く乗客を集めて出発し、それぞれの目的地で降ろしてくれる乗り合いバン・サービス。ベイエリアのほぼ全域をカバーする。数社が運行。空港発なら予約なしで利用できるが、早朝と深夜は予約するほうがベター。乗り場は各ターミナルの出発階（国際線ターミナルはLevel3を出てすぐの道路の中州）にある。料金は会社によって異なるが、$17程度（荷物の出し入れをしてもらった場合は、ドライバーに$1のチップを）。所要時間は約30分。スーパー・シャトルは24時間運行。

エアポート・エクスプレス　Airport Express
☎415-775-5121 URL www.airportexpresssf.com

スーパー・シャトル　Super Shuttle
FREE 800-258-3826 URL www.supershuttle.com

タクシー

希望の場所まで直行できるので安心。乗り場は各ターミナルの到着階を出てすぐの道路の中州にある。所要時間は約30分。料金は$40～（ほかに15%ほどのチップを支払う）。また、空港から乗った場合、$2の空港利用料も加算される。ただし、空港に来るときは加算されない。

サンノゼ空港も便利です

名だたるIT産業の本拠地が点在するシリコンバレー。その表玄関として知られるのがサンノゼ国際空港（SJC）。成田空港からANAが直行便を運航している。ベイエリアの主要道路へのアクセスも良好で、VTAバス（無料）10番でSanta Clara駅まで行き、カルトレインに乗り換えれば、約2時間でサンフランシスコ駅に到着する。料金は$9.75。また、空港シャトルなら空港からサンフランシスコ市内まで1時間30分ほど。料金は行き先によって異なるが、ダウンタウンまで$70～100程度。

ANAをはじめとした航空会社が日本から直行便を運航していますが、アメリカ各地から経由便も乗り入れています。サンフランシスコ空港からシアトル・タコマ空港までは約2時間、ロサンゼルス空港からは約3時間でシアトル・タコマ空港に到着します

シアトル・タコマ国際空港（シータック空港）

Seattle-Tacoma International Airport (Sea-Tac Airport)

☎206-787-5388 URL www.portseattle.org/seatac

メインターミナルを中心に、4つのコンコースと2つのサテライトで構成。
シータックの略称で親しまれている。

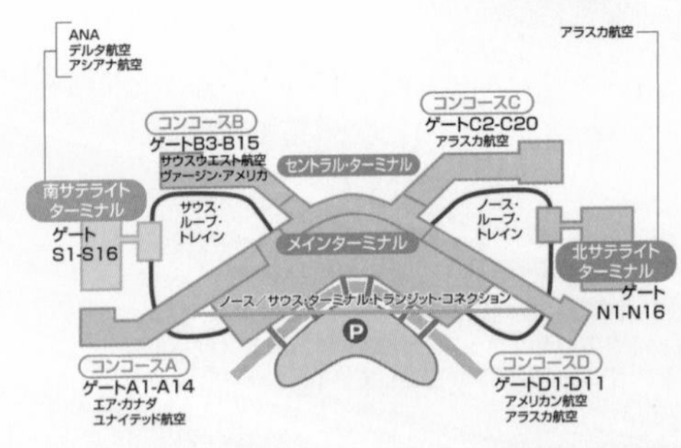

空港から市内へのアクセス

シャトル・バン、空港シャトルバスが便利
2、3人で乗るならタクシーもおすすめ

国際線で南サテライト・ターミナルに到着した場合は、入国審査から空港を出るまでの流れがわかりにくいので注意しよう。到着後入国審査を通ったら、まずは荷物受取所で荷物を受け取って、税関申告へ。税関検査後、通常ならそのまま外へ出られるところだが、空港の出口はメインターミナルになるので、再びベルトコンベアに荷物を預ける必要がある。メインターミナルへは、ターミナル間を循環するループトレインで。メインターミナルの荷物受取所で荷物をピックアップしたら外へ。

空港シャトルバス

空港とダウンタウンの主要ホテル（フェアモント・オリンピック、グランド・ハイアット、ヒルトン、シェラトン、ウェスティン、ワーウィック、クラウンプラザなど）を24時間結ぶシャトルバス。乗り場は空港駐車場3階。料金はクレジットカードで支払う。片道$18（大人同伴の17歳以下は1名無料）。空港発は7:00～翌2:00の間なら予約不要。

ダウンタウン・エアポーター
Downtown Airporter
☎425-981-7000
URL downtownairporter.com

シャトル・バン

同じ方面へ向かう乗客が集まり次第出発し、それぞれの目的地で降ろしてくれる乗り合いバン・サービス。乗り場はスカイブリッジをわたった空港駐車場3階で、赤いジャケットを着た係員が目印。空港発なら予約の必要はない。定時運行のサービスもあり、シアトルの主要ホテルへの直行バスなら$18。希望の場所へ行く場合は人数や目的地によって異なり、パイク・プレイス・マーケットまで1名$33、2名$39、3名$45。所要時間は45～60分。24時間運行。

シャトル・エクスプレス
Shuttle Express
☎425-981-7000
URL www.shuttleexpress.com

サウンドトランジット（セントラル・リンク・ライト・レール）

空港とシアトル市内・近郊を結ぶ新交通システム。空港から終点のワシントン大学駅までを約50分で結ぶ。各駅停車で料金も$3と格安。しかし、空港駅は少し離れたところにあるので要注意。券売機でチケットを買ってから乗車する。ORCAカード（プリペイド式ICカード）は乗車時に読取機をタッチ。

FREE 888-889-6368 URL www.soundtransit.org

タクシー

希望の場所まで直行できるので安心。乗り場は、スカイブリッジをわたった空港駐車場3階。所要時間は、ダウンタウンまで約30分。料金は$40～50。ほかに15%ほどのチップを支払う。大きい荷物を出し入れしてもらったら、さらに荷物1つにつき$1程度のチップを追加しよう。

日本と違うこともたくさん
知っておきたいアメリカ西海岸の基本情報

アメリカ西海岸にはわくわくすることがいっぱい。でも、日本とは文化も習慣も異なるので、戸惑うことも多いのです。基本的なルールや習慣は把握しておきましょう。

電話

アメリカ国内の通話の場合、まず「1」を押し、続けて市外局番を押す。アメリカ西海岸の市外局番には310、415、206などがあり、同一局内の場合、通常は市外局番を省略してダイヤルする。また、1-800、1-888などで始まる電話番号はアメリカ国内のトールフリー（無料通話）。ただし、ホテルの部屋からかける場合は手数料がかかる。公衆電話の使用方法は日本とほぼ同じ。使えるコインは25¢、10¢、5¢。市内通話の基本料金は3分50¢。

アメリカ西海岸 → 日本への国際電話

アメリカ西海岸から日本の
☎03-1234-5678にかける場合

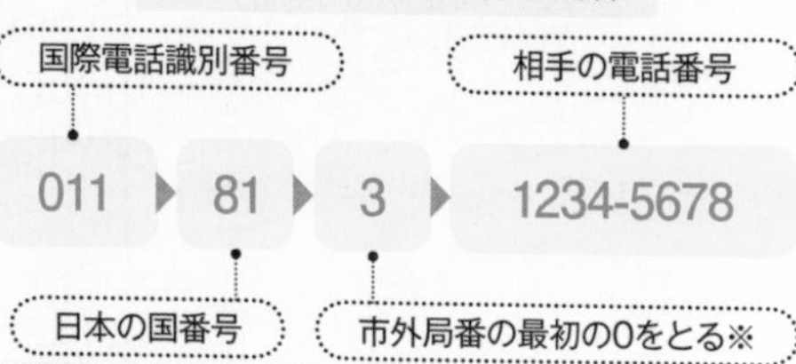

※携帯電話へかける場合は、090で始まるなら90をダイヤル

日本 → アメリカ西海岸への国際電話

日本からロサンゼルスの
☎310-123-4567にかける場合

※市外局番：LAは213、310、323、626、サンフランシスコは415、シアトルは206

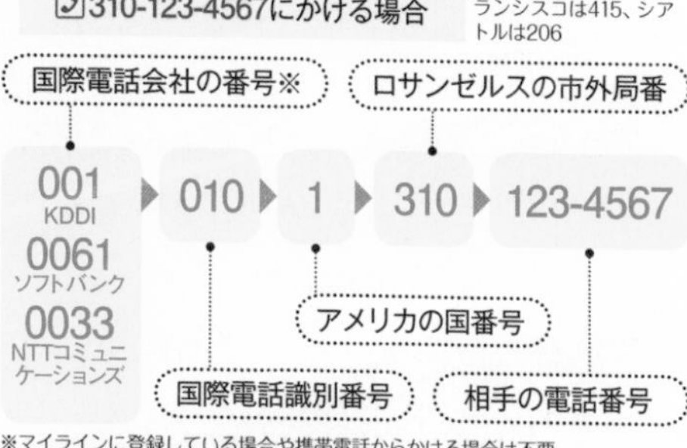

※マイラインに登録している場合や携帯電話からかける場合は不要

飲料水

水道水は飲用できるが、建物が古くて水が濁っている場合などもあるので、ミネラルウォーターを購入するのが無難。スーパーマーケットやドラッグストアではペットボトル入りのミネラルウォーターが多数売られている。値段も日本と同じくらい。

携帯電話とスマートフォン

日本で利用している携帯電話やスマートフォンを旅先で使う場合は、パケット代の高額請求を避けるために、データ通信（データローミング）をオフにしておこう。LINEやメールチェックなどは、無線LAN（Wi-Fi）が使える場所ならパケット代はかからない。通話料も日本とは異なるので、出発前に必要な設定や料金を確認しておくこと。

インターネット

アメリカ西海岸のネット環境は良く、カフェやファストフード、ホテル、空港、公共施設など様々な場所でWi-Fi（無線LAN）を利用できる。有料の場合や、IDやパスワードが必要な場合もあるので、わからないときはスタッフに確認しよう。いつでも気軽にインターネットを利用したいなら、空港で借りられるモバイルWi-Fiルーターも便利。また、ホテルのビジネスセンターのパソコンでもインターネットが利用できる。

郵便

ハガキや手紙は「JAPAN」と「AIR MAIL」とを表に英語で書けば、宛名は日本語でOK。あとは、郵便局やホテルのフロントなどで切手を購入して貼り、ブルーのポストに投函すればOK。ハガキや手紙なら5～7日ほどで日本に届く。

カードとATM

カードは必須アイテム。多額の現金を両替して持ち歩くのは危険なので、カードを活用して現金は最小限に抑えたい。万が一不正利用があったとしても、発行会社が課す条件を満たせば被害金額を発行会社が補償してくれる。カード番号と緊急連絡先の控えはカードとは別に保管して持っていこう。また、Visaなどの国際ブランドのマークがついたカードなら現地のATMから現地通貨が引き出せる。空港や街なかに多く、24時間利用できるものも多い。渡航前にキャッシングの利用可否、暗証番号、限度額も併せて確認しておくこと。クレジットカードは持ち主の身分を保証するもので、ホテルやレンタカー会社ではデポジット（保証金）代わりとしても使える。

※カードの紛失時は直ちにカード停止の連絡を。カードの裏面にサインがない、暗証番号を適切に管理していないなどの場合をのぞきます。

トイレ

いざというときなかなか見つからないのがトイレ。レストランやカフェでは必ず利用しておこう。街なかでは、デパートや大型書店、大型ホテルのロビー、図書館など公共機関のトイレが清潔で入りやすい。スターバックスやマクドナルドなどのトイレは、鍵がかかっていて、店の人に鍵を借りて利用する場合もある。

電圧とプラグ

電圧は120V、周波数は60Hz。日本用の電化製品がそのまま使えるが、電圧が高いので長時間の使用や高熱を伴うものは注意。デジタルカメラやパソコンなどの場合は、100~240Vまで対応可能なものが多いので事前に取扱説明書で確認を。

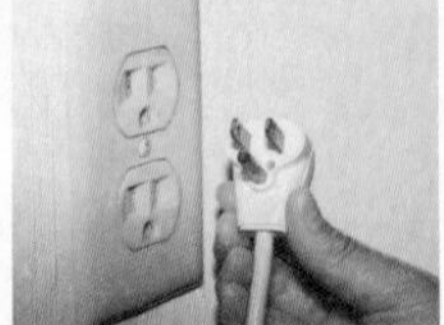

コンセントの穴は3つ。2本式と3本式の2種類のプラグが使える。日本のプラグがそのまま利用可能

トラブル対策

<病気とケガ>

病気やケガの場合、ホテルのフロントに頼めば病院を紹介してくれるが、自分で動ける状態であれば、加入している海外旅行保険会社のサービスセンターへ連絡し、指定の診療所へ行くのが得策。市販薬は街なかのドラッグストアで購入できる。なお、海外旅行保険はクレジットカードなどに自動付帯されている場合があるので、出発前に確認しておきたい。補償内容や利用条件は各発行会社のウェブサイトなどで最新情報をチェックしておくこと。

<アクシデント>

事故や盗難にあった場合、速やかに警察に被害届を出すこと。パスポートを紛失した場合は日本総領事館へ、クレジットカードやトラベルプリペイドカードを紛失した場合は、まず発行会社へ連絡を。また事故に巻き込まれた場合も、直ちに警察に連絡すること。

サイズ表記と単位

<サイズ表記の違い>

日本とアメリカでは洋服や靴などのサイズ表記が異なります。メーカーによってもかなりのバラつきがあるので、購入前には必ず試着を。

指輪

日本	7	9	11	13	15
アメリカ	4	5	6	6.5	7.5

婦人服

日本	5	7	9	11	13	15	17
アメリカ	2	3	5	8	10	12	14

婦人靴

日本	22	22.5	23	23.5	24	24.5	25
アメリカ	5	5.5	6	6.5	7	7.5	8

<単位の違い>

日本とアメリカでは長さや重さ、温度などの単位が異なるので、戸惑うこともしばしばです。以下の表を参考にして。

長さ

メートル(m)	インチ(in)	フィート(ft)	ヤード(yd)	マイル(mile)
1	39.37	3.28	1.094	0.000621
0.025	1	0.083	0.028	0.0000158
0.305	12	1	0.333	0.000189
0.914	36	3	1	0.00057
1609	63360	5280	1760	1

重さ

グラム(g)	キログラム(kg)	オンス(oz)	パウンド(lb)
1	0.001	0.035	0.002
1000	1	35.274	2.205
28.3495	0.028	1	0.0625
453.59	0.453	16	1

体積

cc	リットル(ℓ)	クオート(qt)	米ガロン(gal)
1	0.001	0.0011	0.00026
1000	1	1.056	0.264
946.36	0.946	1	0.25
3785.4	3.785	4	1

摂氏(℃)と華氏(°F)

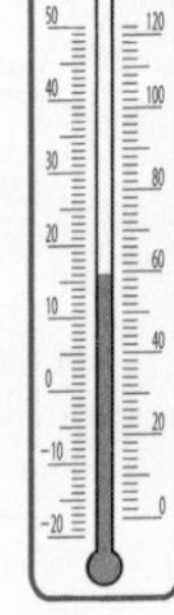

アメリカ西海岸のおもな祝日とイベント

2016年7月4日	アメリカ合衆国独立記念日
9月第1月曜(5日)	レイバー・デー(労働者の日)
10月第2月曜(10日)	コロンブス・デー(アメリカ大陸発見の日)★
11月11日	ベテランズ・デー(退役軍人の日)
11月第4木曜(24日)	サンクスギビング・デー(感謝祭) ※カリフォルニア州は翌日も祝日
12月25日	クリスマス(26日に振替)

※祝祭日は観光地や店が休みになることがあります。とくに、11月のサンクスギビング、12月のクリスマスは注意。

★マークの日は祝日ではありません

2017年1月1日	ニュー・イヤーズ・デー(2日に振替)
1月第3月曜(16日)	キング牧師記念日
2月第3月曜(20日)	プレジデント・デー(大統領の日)
3月31日	シーザー・チャベス・デー ※カリフォルニア州のみ
イースター前の金曜(4月14日)	グッド・フライデー★
4月16日	イースター(復活祭) ※年により変動★
5月最終月曜(29日)	メモリアル・デー(戦没者追悼の日)

これだけは知っておきたい アメリカ西海岸ステイのアドバイス

アメリカ西海岸で快適に過ごすためのノウハウをご紹介します。
レストランやショッピングでの注意点やちょっと役立つ情報など、しっかり把握しておきましょう。

レストランのアドバイス

セレブシェフのレストランからグルメバーガーまで
アメリカ西海岸の食はバラエティ豊かです

1.人気店や高級レストランは予約しましょう

カジュアルな店は必要ありませんが、高級レストランや人気店は予約するのがおすすめ。アメリカ人は当日であっても、ちょっと電話して予約することが多いです。自分で電話するのが不安なら、ホテルのコンシェルジュにお願いすればOK。最近はウェブ予約ができる店も増えています。

2.服装とマナー

レストランは超高級店でない限り、カジュアルな雰囲気のところが多く、服装もTPOに合ったものなら問題ありません。一般的に好まれるのは、「スマートカジュアル」。かしこまった服装というのではなく、ちょっとおしゃれして行きましょうというくらいの気持ちです。店に入ったら、スタッフの案内で席につくのがルール。テーブル毎に担当が決まっているので、注文などは担当のウェイターやウェイトレスに。支払いはテーブルで。食事が終わったら、「Check Please」と声をかければOKです。

3.チップについて

料金の15～18%が基本。伝票に「Service Charge」「Gratuity」とある場合はすでに加算されているので、支払いは不要です。ファストフードやセルフサービスの店でも必要ありません。カード利用の場合は、伝票のチップ欄に金額を書き入れ、合計金額を記入してサイン。チップだけを現金で支払ってもOKです。

ナイトライフのアドバイス

夜はグンと人通りが減るアメリカ西海岸
基本をおさえて安全に楽しみましょう

1.お酒＆タバコのルール

飲酒ができるのは21歳から。そのため、バーやレストランでアルコールを注文する際やクラブに入店する際には、年齢確認のため、写真付きのID（パスポートなどの身分証明書）の提示を求められる場合があります。忘れずに持参しましょう。また、すべての公共建物内での喫煙は禁止。レストランやバーも禁煙なので、気をつけて。屋外でも、街によっては建物の出入口の近くや公園などは禁煙です。

2.深夜の治安について

バーやクラブでお酒を楽しんだら、帰りが深夜になることも。たとえ公共交通機関が動いていても、深夜の利用はおすすめできません。タクシーをお店のスタッフに呼んでもらいましょう。

ショッピングのアドバイス

ショッピングは旅の楽しみのひとつ
地元ならではのステキなアイテムをゲットして

1.ショッピングのマナー

一流ブランドのブティックでは、勝手に商品に触らないように。手の届くところにあっても、見せてくれるよう頼むのがマナーです。買うつもりがないときに、「何かお探しですか？(May I help you?)」と声をかけられたら、「I' m just looking」と言えば大丈夫です。

2.セールス・タックスについて

アメリカのセールス・タックス（消費税）は、州や地域によっても異なります。2016年4月現在、同じカリフォルニア州でもロサンゼルスは9%、サンフランシスコは8.75%。ワシントン州にあるシアトルは9.60%となっています。

ホテルのアドバイス

アメリカ西海岸の各都市では、同じホテルでも
シーズンや曜日によって、価格が大幅に異なります

1.ホテルの部屋タイプ

ホテルの部屋は、通常1部屋いくらというルームチャージで、各部屋の定員まで宿泊できるかわり、1人で泊まっても料金は同じです。また2人定員の部屋でも、ベッドが2つあるとは限りません。

■おもな部屋タイプ（本書では次のように表示しています）

S…シングルもしくはダブルサイズのベッドが1つ（1人用）
Q/T…クイーンサイズが1つもしくはシングルサイズのベッドが2つ（1～2人用）
K…キングサイズのベッドが1つ（1～2人用）
D+D…ダブルサイズもしくはクイーンサイズのベッドが2つ（2人用）
SU…スイートルーム（ベッドとリビングルームが分かれている部屋）

2.チップの目安

ベルボーイに荷物を運んでもらったら荷物1個につき＄1～2、毛布を持ってきてもらうなど頼みごとをしたら＄1、ルームサービスは料金の15%が目安。ベッドメイキングはベッド1台につき＄1を枕の上に。

3.ホテルの部屋も禁煙です

ホテルは基本的に客室も禁煙です。喫煙可の部屋を備えるホテルは少ないですが、希望なら予約時に確認しましょう。

アメリカ西海岸を旅するなら知っておきたい レンタカーの利用方法

広大なロサンゼルスやサンフランシスコ、シアトルの郊外を旅するときに便利なレンタカー。予約の方法からガソリンの入れ方まで、役に立つ情報や注意点などをご紹介します。

利用方法

1.予約は日本で

現地でも借りられるが、日本で予約すれば、割安な料金プランや保険フルカバーのプランなども利用できて、お得で安心。入金などの確認後、クーポン券か予約確認書が送られてくる。

2.車を借りる

日本で発行されたクーポン券か予約確認書を持参すれば、現地での契約は、書類に必要な確認事項を記入するだけ。記入事項は、①利用日数②返却場所③宿泊ホテル④日本の住所⑤任意保険加入の有無など。また契約者以外の運転者がいる場合や、チャイルドシートやブースターシートが必要な場合はその旨を伝える。

3.返却する

ガソリンは満タンにして返す場合と、返却時に精算する場合があるので、確認を。返却予定時間を超過してしまうと高額な料金を支払うことになるので注意が必要。返却は契約した営業所へ車をもっていき、スタッフのチェックを受け、カギを返却後、最後の明細書(精算)が渡されて完了。

<レンタカー予約の注意点>

◆日本の運転免許証と国際運転免許証を持って行こう。
◆レンタル時にはデポジットとして運転者名義の国際クレジットカードが必要。
◆運転資格は21歳以上。ただし25歳未満は追加料金が必要。
◆子供にはチャイルドシートが必要。LAやサンフランシスコ（カリフォルニア州）は8歳未満または身長約145cm未満、シアトル（ワシントン州）も8歳未満または身長約145cm未満が対象になっている。予約時に申し込みを。

保険

レンタカー契約をした時点で、日本の強制保険にあたる対人・対物の保険に自動的に加入されるが、任意保険にもぜひ加入しておこう。アメリカは医療費が高く、万一、人身事故を起こしてしまった場合、強制保険のみでは補償しきれないことも。日本で予約できるプランには任意保険がフルカバーのものもあるのでおすすめ。

西海岸ドライブのアドバイス

日本人が注意したいのが、アメリカは右側通行だということ。特に左折やUターンの際、左車線に入ってしまわないように気をつけよう。左ハンドルの車にも慣れるまでは注意して。また、アメリカでの距離の単位はマイル（1マイルは約1.6km）。キロ表示と間違えてスピードを出し過ぎないように。

ガソリンの入れ方

アメリカではほとんどがセルフサービス方式で、給油の前に前金（デポジット）を払うシステム。現金の場合は店内のカウンターで「$15 for Pump No.7」などと、給油ポンプの番号と金額を告げて支払う。予定額になると自動的にノズルが止まる。クレジットカードの場合は、その場でカードを差し込み、画面の手順で進む。はじめにガソリンの種類を選び（通常Unleaded／無鉛でOK)、ノズルを取り上げ、スイッチを入れると給油態勢に入るので、グリップを握るとガソリンが出てくる。給油が終わったら元通りに。

パーキング

市街で車を止める場合は、短い時間でもコインパーキングを利用しよう。公共駐車場はもちろん、道路沿いにも設置されている。自分が駐車しておきたい時間分のコインを入れるだけでOK。ただし、使用できるのは25¢、10¢、5¢のコインのみ。ホテルやレストランにある「Valet Parking」は割高だがスタッフに車とキーを預けて駐車してもらうシステム。ピックアップの際は$1～2程度のチップを忘れずに。

<もしもトラブルにあったら>

万が一、路上駐車で車をレッカー移動された場合には、警察（911番）に電話をして担当のレッカー会社を教えてもらい、レッカー代と車の保管料を支払う。このときに反則キップを受け取り、交通裁判所で罰金を支払うか、オンライン手続きでクレジットカードで支払う。英語に自信がなければ旅行会社などに相談すること。また、もしも事故を起こしてしまった場合には、車を道の右側によせて安全を確保し、警察に電話をする。レンタカー会社へも連絡し、指示を仰ごう。

1日だけ借りるなら市内の営業所で

滞在中毎日レンタカーを使うなら空港で借りるのが便利ですが、1日だけ遠出したいという場合は、市内の営業所を利用するのがおすすめ。もちろん日本で予約もできます。

アラモレンタカーでらくらくアメリカ西海岸ドライブ

目に止まったショップやカフェにちょっと立ち寄ったり、眺めのいい高台へ上ったり……。気ままな旅が楽しめるのもレンタカーならではの醍醐味。1日だけちょっと遠出してみるのもおすすめです。サービスが充実しているアラモレンタカーなら、いっそう便利で安心！

安心・便利な3つのポイント

日本語対応のカーナビで安心ドライブ

外国で初めての道を運転するのは不安なもの。でも、日本語の表示と音声で案内してもらえたら、不安もどこかへ吹き飛びます。

日本で予約ができるから現地でらくらく

出発前に日本で予約することができるので、現地での手続きがよりスピーディに。優待割引などの特典もあります。

空港と空港営業所の間は無料のシャトルバスで

空港と営業所の間は、無料のシャトルバスが運行。空港に着いたら、Alamoのロゴがついたブルーのバスを探しましょう。

アラモレンタカー
Alamo Rent A Car

◆日本での予約・お問い合わせ

URL www.alamo.jp FREE 0120-088-980

営 月〜金曜9:30〜18:00(土・日曜、祝日休)

◆アメリカでのお問い合わせ

FREE 888-826-6893（共通）

ロサンゼルス国際空港
営 24時間

サンフランシスコ国際空港
営 24時間

サンフランシスコ ユニオン・スクエア営業所
所 340 O' Farrell St
営 7:00〜19:00 MAP 別冊P.22 A-3

シアトル・タコマ国際空港
営 24時間

シアトル ダウンタウン営業所
所 1601 3rd Ave
営 7:00〜18:00（土・日曜8:00〜16:00） MAP 別冊P.30 D-3

主要な道路標識

一時停止

Uターン禁止

左折禁止

進入禁止

優先道路あり

赤信号右折禁止

最高速度50マイル

駐停車禁止

追い越し禁止

行き止まり

まわり道

一方通行

出口番号

本線

index

ロサンゼルス

キャンドル・デリリュウム	キャンドル	ウエスト・ハリウッド	41
キュート・ブーティ・ラウンジ	ファッション	ダウンタウン	34
グローブ	モール	ミッド・ウィルシャー	29
ゲルソンズ	スーパー	ウエスト・ハリウッド	59
ゴールド・バグ	アクセサリー	パサデナ	39
サード・ストリート・ファーマーズ・マーケット	ファーマーズ・マーケット	サンタモニカ	48
サテーン	ファッション	ミッド・ウィルシャー	32
サンタモニカ・プレイス	モール	サンタモニカ	30
スー・ラ・テーブル	キッチン雑貨	サンタモニカ	24
スカイ	ファッション	ロバートソン	21・37
スプレンディッド	ファッション	ロバートソン	20
セルフィッシュ	ファッション	ビバリーヒルズ	23
ソープ・キッチン	ソープ	パサデナ	41
ソープトピア	ソープ	ベニス	40
ソルト	ファッション	アボット・キーニー	35
TJマックス	ファッション	ビバリーヒルズ	37
テン・ウィメン	ファッション雑貨	サンタモニカ(メイン)	24
トレーダー・ジョーズ	オーガニックスーパー	サンタモニカ	65
ノードストローム・ラック	ファッション	ビバリーヒルズ	37
バレリー・ビバリーヒルズ	コスメ	ビバリーヒルズ	22
ビバリー・センター	モール	ビバリーヒルズ	29
ファーマーズ・マーケット	ファーマーズ・マーケット	ミッド・ウィルシャー	29
プリンシペッサ ベニス	ファッション	アボット・キーニー	38
プラネット・ブルー	ファッション	ビバリーヒルズ	22・36・38
ヘイスト	ファッション	アボット・キーニー	33
ペーパー・ソース	ステーショナリー	サンタモニカ	43
ホールフーズ・マーケット	スーパー	ベニス	59・65
ポルカドッツ&ムーンビームス	ファッション	ミッド・ウィルシャー	33・38
マインドフルネスト	雑貨	サンタモニカ(メイン)	43
マドラ	ファッション	サンタモニカ	25
ラクマストア	雑貨	ミッド・ウィルシャー	39

ホテル	エリア	
アバロン	ビバリーヒルズ	66
カーメル・バイ・ザ・シー	サンタモニカ	66
クレセント	ビバリーヒルズ	66
ダブル・ツリー・バイ・ヒルトン・ホテル・ロサンゼルス・ダウンタウン	ダウンタウン	67
パリハウス	サンタモニカ	66
ミレニアム・ビルトモア・ロサンゼルス	ダウンタウン	67
モンドリアン・ロサンゼルス	ウエスト・ハリウッド	67
レッドベリー@ハリウッド&バイン	ハリウッド	67

サンタバーバラ&ソルバング

見どころ	エリア	
サンストーン・ワイナリー	サンタイネス	70
サンタバーバラ郡庁舎	サンタバーバラ	69
ミッション・サンタバーバラ	サンタバーバラ	69

グルメ	ジャンル	エリア	
サクレント・カフェ・ワイン・シャークテリ	アメリカ料理	ソルバング	70
サンタバーバラ・フィッシュハウス	シーフード	サンタバーバラ	69
デニッシュ・ミル・ベーカリー	ベーカリーカフェ	ソルバング	70
ブライドルウッド・エステート・ワイナリー	ワイナリー	サンタイネス	71
ロス・オリボス・ワイン・マーチャント・カフェ	カフェ&ショップ	ロス・オリボス	71

ショップ	ジャンル	エリア	
ジョリー・ハス・ソルバング・クリスマス・ハウス	雑貨	ソルバング	71

ホテル	エリア	
キャナリー・ホテル	サンタバーバラ	69

サンフランシスコ

見どころ	エリア	
アラモ・スクエア	ヘイト・アシュベリー	114
ヴィ・サットゥイ	ナパ	107
ゴールデン・ゲート・ブリッジ	マリーナ	80
チェスナッツ・ストリート	パシフィック・ハイツ	84
ドメイン・カーネロス	ナパ	107
ナパ	ナパ	106
バークレー	バークレー	102
フィッシャーマンズ・ワーフ	フィッシャーマンズ・ワーフ	79・80
ミッション	ミッション	88
ユニオン・スクエア	ダウンタウン	79
ユニオン・ストリート	パシフィック・ハイツ	84
ラファイエット・パーク	パシフィック・ハイツ	114
ロンバード・ストリート	ロシアン・ヒル	79

グルメ	ジャンル	エリア	
アクミブレッド	ベーカリー	ダウンタウン	99
ウォーターバー	シーフード	ダウンタウン	92
カフェ・ルージュ	アメリカ料理	バークレー	104
グリーンズ・レストラン	ベジタリアン	フォート・メイソン	95
サンズ&ドウターズ	オーガニック	ユニオン・スクエア	95
ショコラティエ・ブルー・パーラー	チョコレート・アイスクリーム	バークレー	105
シンディーズ・バックストリート・キッチン	アメリカ料理	ナパ	108
スコマズ	シーフード	サウサリート	81・93
タルティーヌ・ベーカリー	ベーカリー・カフェ	ミッション	89・99
ノパ	オーガニック	ヘイト・アシュベリー	94
バイシクル・コーヒー	カフェ	オークランド	97
パシフィック・パフ	シュークリーム	パシフィック・ハイツ	85
ピーツ・コーヒー&ティ	カフェ	バークレー	104
ピッチーノ	オーガニック	ドッグパッチ	95
フェリー・プラザ・ファーマーズ・マーケット	ファーマーズ・マーケット	ダウンタウン	82
フォーバレル	カフェ	ミッション	88・97
フォーリン・シネマ	アメリカ料理	ミッション	89
ブション・ベーカリー・ヨウントビル	ベーカリー	ナパ	108
ブルーボトル・コーヒー	カフェ	ソーマ	96
ボウディン	ベーカリー	フィッシャーマンズ・ワーフ	80
ホグ・アイランド・オイスター・カンパニー	シーフード	ダウンタウン	93
ラ・ブーランジェリー・デ・サンフランシスコ	ベーカリー	シビック・センター	99

ショップ	ジャンル	エリア	
アレクイン・ワイン・マーチャント	ワイン	ユニオン・スクエア	101
ヴォイジャー・ショップ	ファッション・雑貨	ミッション	87・88
クレード	コスメ	パシフィック・ハイツ	91
クロスローズ・トレーディング	古着	パシフィック・ハイツ	87
コンバート	ファッション	バークレー	103・105
コンバート・コレクション	ファッション	バークレー	105
シーピーツー	雑貨	バークレー	104
シンプリー・シーク	ファッション	パシフィック・ハイツ	85
セラピー	雑貨	ミッション	89
セレンディピティ	雑貨	ミッション	89
ターキッシュ・タオル・コレクション	タオル	バークレー	103・104
タイムレス・トレジャース	ヴィンテージ・雑貨	パシフィック・ハイツ	86
デ・ノボ	ファッション	パシフィック・ハイツ	84
ナパ・スタイル	食品・雑貨	ナパ	109
ニードルス・アンド・ペンズ	ファッション・雑貨	ミッション	89
フェリー・ビルディング	食品・雑貨	ダウンタウン	83
フェリー・プラザ・ワイン・マーチャント	ワイン	ダウンタウン	101
フレッシュ	コスメ	ユニオン・スクエア	91
ベネフィット	コスメ	バークレー	105
マーマレード	ファッション	パシフィック・ハイツ	86
ミキボイ・ランチ	コスメ	ダウンタウン	91
ラリーン	コスメ	パシフィック・ハイツ	84

シアトル

海外旅行のおみやげ選び、悩んでいませんか？

ことりっぷ & レッドホースコーポレーション

海外おみやげ予約宅配サービス

おみやげ選びに自分の旅行の時間を費やすのはちょっと・・・

おみやげ持ってかえると、荷物が増えて大変・・・

ワインを買ってきたいけど。割れたりしたらどうしよう・・・？

帰国するとき、税関の手続きって面倒だわ・・・

「海外おみやげ予約宅配サービス」なら
すべて解決!!

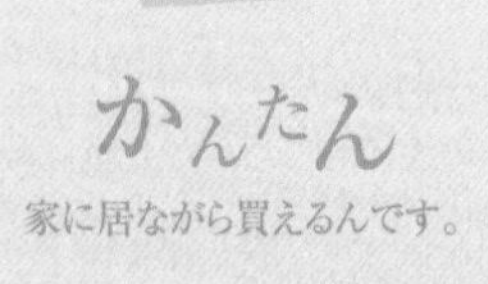
かんたん
家に居ながら買えるんです。

らくらく
旅先での負担がなくなるんです。

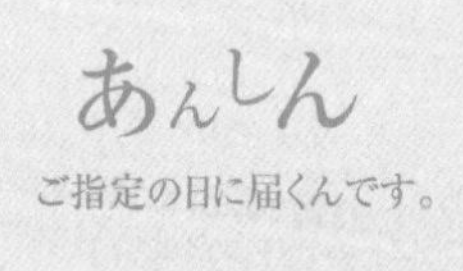
あんしん
ご指定の日に届くんです。

お申し込み問い合わせ方法

無料のおみやげカタログをご請求ください。
申込専用コード（732CNT01）をオペレーターにお伝えください。

無料 TEL 0120-988-275
9：30～18：00（1/1～1/2はお休みです）

※携帯電話・PHSからのお問い合わせはこちらへ
TEL：06-6578-2734
通話料金はお客様ご負担となります。

カタログをご請求いただくともれなく**旅行に便利なグッズをプレゼント**
※お届けするカタログに同封いたします

人気のアメリカおみやげ

スヌーピー チョコチップマカデミアナッツクッキー6箱セット

¥10,314 (No. 6951-1240)

アメリカ国旗をかついだ世界の人気者スヌーピーのパッケージには、みんな大好きなチョコチップクッキーが。ファンならずとも欲しい限定品。

●内容量・重量：1箱170g（1袋85g（約28枚）×2袋） ●サイズ：1箱サイズ約14×17×5.5cm ●原産国：アメリカ製 ※グラム計量のため枚数が異なる場合があります。 ©2010Peanuts Wordwide LLC

ギラデリ 60%カカオチョコレート 4個セット

¥5,658 (No. 6951-0620)

1852年、サンフランシスコで創業。アメリカで2番目に古いチョコレートメーカーです。甘さ控えめなのでコーヒーや紅茶と一緒にどうぞ。

●1個149g（1袋1枚入り×約14袋） ●1個サイズ約5×10×18cm
●アメリカ製 ●夏季期間はクール便でお届けします。
■商品に含まれるアレルギー特定原材料　乳
※グラム計量のため粒数が異なる場合があります。

ニッキーズ ショートブレッド 24袋セット

¥6,480 (No. 6951-0570)

オールナチュラル、からだにやさしい。それがニッキーズ。
配りやすいミニサイズだから、学校やオフィスのおみやげにどうぞ。

●1袋約23g（2枚） ●1袋サイズ約8.5×10.5×2.5cm
●セット箱サイズ約10×19×23cm ●アメリカ製
■商品に含まれるアレルギー特定原材料　乳・小麦

まだまだ多数の商品がございます。無料カタログか下記インターネットをご覧ください。

※表示価格は、消費税8%を含んだ金額となっています。

ことりっぷ読者限定
いつでもお得なキャンペーン実施中!!
詳しくはネットで

インターネットでご注文

www.gift-land.com/cotrip/

※午前10時までにお申し込みいただきますと、翌日お届けも可能です。インターネットでご注文の際に申込専用コード（732CNT01）を入力してください。

ケータイでご注文

すぐ注文するなら、右のQRコードでアクセス。商品番号をハイフンなしで入力するだけ!!
その他の商品も検索できます。

レッドホースコーポレーション株式会社 〒135-0061 東京都江東区豊洲三丁目2番24号豊洲フォレシア9階 JADMA 日本通信販売協会の会員企業です。

ANAでアメリカ西海岸の都市へ行ってみませんか？

**現在、ANAはアメリカ西海岸の4都市およびカナダのバンクーバーに運航中。
ユナイテッド航空の乗継便を活用すれば、
アメリカ国内の旅がもっと便利になります！**

シアトル

サンフランシスコ

サンノゼ

ロサンゼルス

ANA運航info

シアトル、サンフランシスコ、サンノゼ、ロサンゼルス、シカゴ、ニューヨーク、ワシントンD.C.とアメリカ本土7都市にノンストップで運航しています。

ANA URL www.ana.co.jp
☎ 日本0570-029-333（8:00～20:00）
☎ アメリカ800-235-9262
（営業時間:24時間年中無休）

ANA NEWS

サンノゼ線毎日運航中！

サンフランシスコの南、シリコンバレーの国際空港として知られ、その昔はカリフォルニア州の州都だった時代もあり、フルーツや野菜など農作物でも有名。1970年代からIT企業が多く集まり中心都市として栄えるようになりました。

©Visit California/Carol Highsmith

ロサンゼルスを
セレブ気分でショッピング

シアトルの台所。
豊富な食材・レストランが揃います

サンノゼの、のどかな
街並を電車が走ります

サンフランシスコの坂道には
ケーブルカーが便利

カナダ　ブリティッシュ・コロンビア州

バンクーバー

VANCOUVER

都会と自然が交わる都市

羽田からの直行便も就航中のブリティッシュ･コロンビア州最大の都市。近代的なビルが立ち並ぶダウンタウンを緑豊かな公園やビーチが囲み、大自然が感じられる。シアトルとの2都市周遊もおすすめ。

写真提供：ブリティッシュ・コロンビア州観光局

海と山に囲まれ都市と自然が一体に

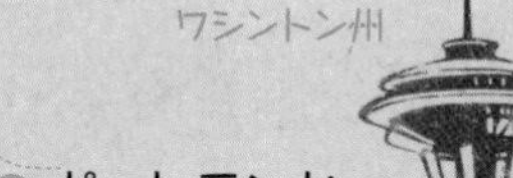

オレゴン州

ポートランド

PORTLAND

ゆったりとした光景が広がります

美しく環境に優しい街並

「バラの街」の愛称で親しまれ、DIYや地ビールも盛んな都市。市内は無料のライトレールエリアもあり、消費税がないので、ショッピングにも人気です。

ネバダ州

ラスベガス

LAS VEGAS

街はきらびやかなネオンでいっぱい

©Las Vegas News Bureau

世界の憧れるエンターテインメント都市

ラスベガス空港にも24時間遊べるスロットマシンが設置され、「眠らない街」として有名。カジノだけでなくテーマホテルのアトラクションでファミリーにも人気。

バンクーバー
カナダ
シアトル
ワシントン州
ポートランド
オレゴン州
ネバダ州
サンフランシスコ
サンノゼ
ラスベガス
カリフォルニア州
ロサンゼルス
アリゾナ州
フェニックス
メキシコ

シアトル

SEATTLE

**自然と海と高層ビルがうまくマッチした環境だから、
新鮮な空気の中、ダウンタウンを歩いていると
いつのまにかリラックスさせてくれると人気の都市。**

街なかを歩いていると
自然とひと息ついて
しまいます

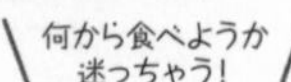

1 素材を生かしたメニューが人気 Mistral Kitchen
2 フォーシーズンズホテル1FのShuckers at the Fairmont
3 原材料にこだわるユニークなTheo Chocolate
4 Matt's in the Marketで新鮮な海の幸を楽しむ
5 旬の食材で本格イタリアンを TAVOL A TA

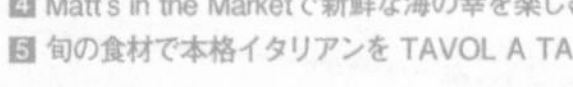

©Theo Chocolate

ワシントン州は食材の宝庫
シアトルでは多様な味を楽しめます

海や山の自然から採れる食材が豊富に揃うシアトルでは、訪れる季節によって折々の料理や過ごし方が楽しめます。春から秋にかけ、近隣の街へ小旅行をするのもよし、季節を問わず、市内のカフェやダイニングを気ままに回るのも過ごし方のひとつ。ワシントン州産ワインが揃ったレストランもたくさんあります。

シアトル秋・冬の楽しみ方

シアトルには特長のあるカフェがたくさんあるので、自分好みのカフェを見つけてみましょう。ローストの利いた豆を自慢とするカフェからオーガニックにこだわる店、ワインも一緒に楽しめるカフェまで。いくつかのお店をご紹介しましょう。

お店ごとのこだわりがわかります

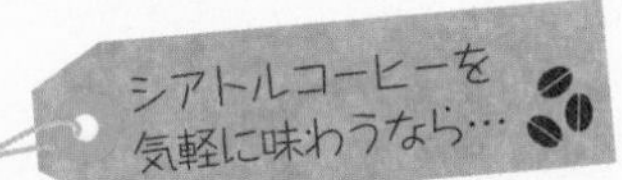

シアトルコーヒーを気軽に味わうなら…

シアトル発祥の地で2005年オープン

カフェ・ウンブリア
Caffe umbria

イタリアから続く3代目のオーナーがこだわる、豆焙煎会社の正統派カフェ。

所 320 Occidental Avenue South
☎ 206-624-5847

シアトルっ子に人気のカフェ

シアトル・コーヒー・ワークス
Seattle Coffee Works

自家焙煎の豆が自慢のお店。バリスタにも気軽に相談できる。

所 107 Pike Street
☎ 206-340-8867

有名ホテルに豆を卸すロースターが経営

フォンテ・カフェ・アンド・ワイン・バー
Fonte Cafe and Wine Bar

世界で生産量の限定されたコーヒー豆だけを提供。厳選されたワインも楽しめる。

所 1F, Four Seasons Hotel, 1321 1st Avenue ☎ 206-777-6193

日帰りでシアトル周辺の魅力的な街へ

シアトルはもちろん国境を越えたカナダなど見どころいっぱい！

シアトルから高速フェリーでカナダにもアクセス。
街並が面白い2つをご紹介。

ドイツの雰囲気を満喫

レベンワース
Leavenworth

ドイツ風のかわいい建物が並ぶ街。街並を散策した後はドイツ料理を味わうのがおすすめ。

写真提供：シアトル・ワシントン州観光事務所

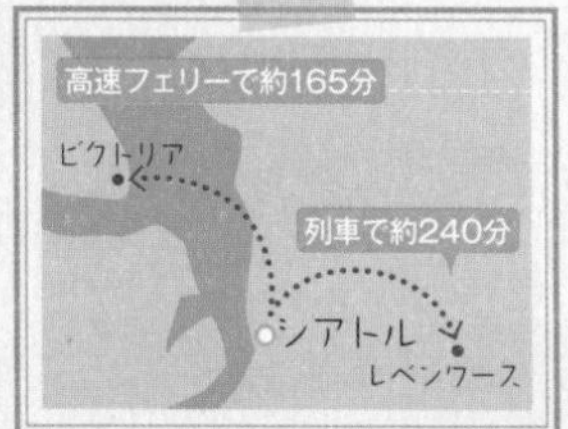

花の都でのんびり散策

ビクトリア(カナダ)
Victoria

1泊で行ける英国植民地時代の街並が残るカナダ、ブリティッシュ・コロンビアの州都。

写真提供：ブリティッシュ・コロンビア州観光局

サンフランシスコ
SAN FRANCISCO

空港から公営高速鉄道で市内までアクセスも便利!

ケーブルカーやフィッシャーマンズ·ワーフ、ゴールデンゲートブリッジなどランドマークとなる観光スポットに加え、ファッションの中心地でもあり、ショッピングや国際色豊かなレストランの数々が楽しめます。

街でいっぱい
見かけます
ケーブルカーにも
乗ってみよう!

ユニオンスクエアは
ダウンタウンの中心

ナパ·バレーを巡る
人気列車ワイントレイン
思わずワインが
すすむ

芳醇なワインを
産み出す肥沃な土地

©Robert Holmes

©Carol Highsmith

写真提供：Visit California

©Robert Holmes

サンフランシスコから
少しより道

ナパ·バレー
NAPA VALLEY

サンフランシスコから車で約2時間、ワインテイスティングはいかが?

ワインで有名なナパ·バレー。1か所の地名ではなく、バレーの中でもいくつかのワイナリースポットがあり、中心のセントヘレナやカリストガは温泉もある保養地です。セントヘレナからナパまでワイントレインも走っています。

ANA MEMO

さらに充実、ANA × ユナイテッド航空　共同事業

2社共同の便利でおトクな運賃、豊富なネットワークにより、アメリカ各都市への旅行が便利になりました。

POINT 1　アメリカ各都市への乗り継ぎが直行便と同額に!
※上記には諸条件がございます。

POINT 2　充実のネットワークと便利なフライトスケジュール!

POINT 3　マイレージプログラムもわかりやすく、便利に!

詳しくはANA SKY WEB (www.ana.co.jp/) をご覧ください ▶

ロサンゼルス
LOS ANGELES

テーマパークからショッピングまで楽しめる西海岸のエンターテインメントシティ

レンタカーが苦手の方にも安心。ハリウッドから発車するHop-on Hop-offのダブルデッカーバスを利用すれば、ロサンゼルス市内の主要なエリアは時間内自由に乗り継いで回ることが可能です。

チャイニーズ・シアター前の道で有名人のサイン探し

ビバリーヒルズはおしゃれな街並!

ゆったりとした大人の街並
おいしいレストランが揃います

サンノゼ美術館はランドマークのような存在

サンノゼ
SAN JOSE

シリコンバレーの中心地、IT企業が集まる街

サンノゼ国際空港から市内まではタクシーで約10分。近隣のフリーモントやクパチーノなどにIT関連会社も点在しています。美術館なども多く、ITセレブが好むレストランはカジュアルからハイエンドまで揃っています。

オーガニックフードから雑貨まで揃う

サン・ペドロ・スクエア・マーケット
SAN PEDRO SQUARE MARKET

オーガニックのビネガーやオリーブオイルをはじめカフェ、ローカルアーティストの雑貨グッズなども揃います。

B1から2Fまでの季節展示

サンノゼ美術館
SAN JOSE MUSEUM OF ART

モダンデザインからクラシックアートまで季節による展示が楽しみな美術館。WEBサイトのカレンダーで展示内容が確認できます。

営 火曜～日曜、11:00～17:00（※ホリデイ期間は時間変更） 料 $10

レストランで賑わう繁華街

サン・ペドロ・スクエア
SAN PEDRO SQUARE

ランチからディナーまで、賑うレストラン・ストリート。テーマレストランや地ビールの店などが揃っています。

青空に輝く純白の大聖堂

カテドラル・バシリカ・セント・ジョセフ教会
Cathedral Basilica of St. Joseph

200年以上の歴史を誇り、1990年に改装されたベイエリアでも最も美しいと称賛される教会のひとつ。

ANAならアメリカ西海岸から先の都市への乗り継ぎが便利

ユナイテッド航空との共同事業で、
アメリカ国内のネットワークがさらに充実しました。
就航都市から乗り継いでラスベガスやデンバーなどを訪ねてみませんか?

シアトルから乗り継ぎ

○ ポートランド	約 50分
○ デンバー	約150分

サンフランシスコから乗り継ぎ

○ バンクーバー	約135分
○ ポートランド	約120分
○ ソルトレイク・シティ	約120分
○ デンバー	約150分
○ ラスベガス	約 90分
○ フェニックス	約120分

サンノゼから乗り継ぎ

○ デンバー	約150分

ロサンゼルスから乗り継ぎ

○ バンクーバー	約180分
○ ポートランド	約150分
○ ソルトレイク・シティ	約120分
○ デンバー	約150分
○ ラスベガス	約 75分
○ フェニックス	約 90分

※シアトル・サンフランシスコ・サンノゼ・ロサンゼルスのANA就航都市から各都市はユナイテッド航空などへ乗継となります。
※掲載している時間は飛行時間です。乗り継ぎ時間は含まれておりません。

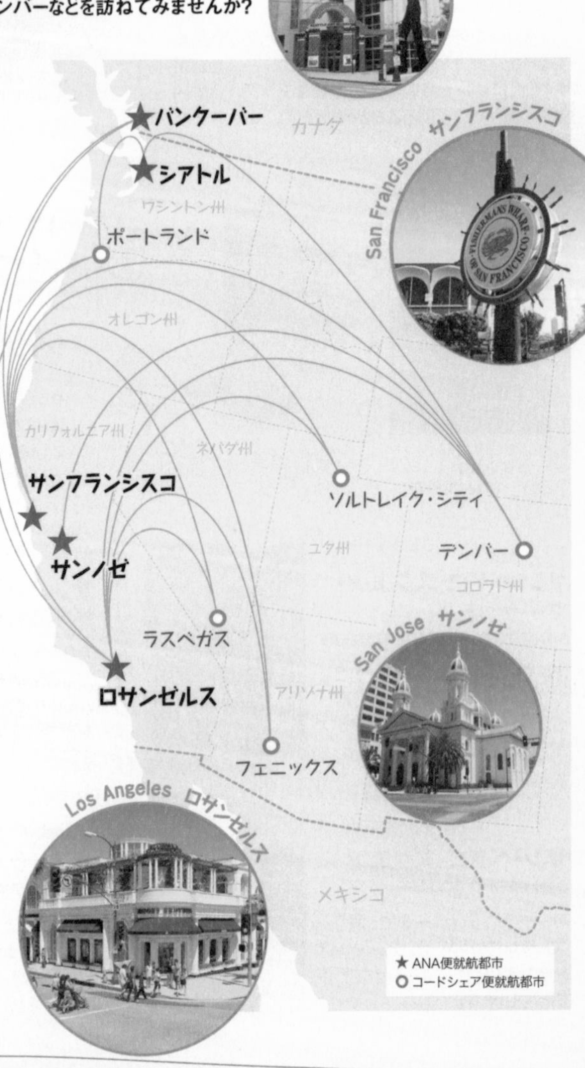

快適な機内は
長距離の旅にぴったりです

**シアトル線とサンノゼ線に運航している、
ボーイング787型機は過ごしやすい工夫がいっぱい♪
長いフライトでも快適な空旅が楽しめます。**

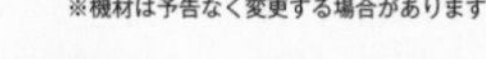

※機材は予告なく変更する場合があります。

ボーイング787に乗って…

窓の広さが約1.3倍になり、今まで外が見えなかった機内中央の座席からでも風景が楽しめます。

機内の空気環境がクリーンになり、今まで乾燥しがちだった唇やお肌も湿度が保たれます。

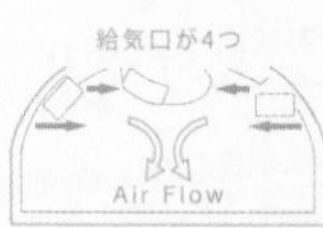

「ウォシュレット」※装備の化粧室が各クラスに設置されています。

※「ウォシュレット」はTOTOの登録商標です。

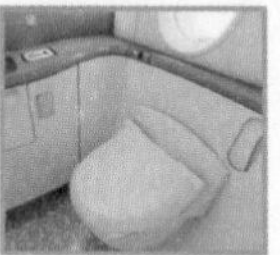

客室がLEDライトになり、今まで以上にリラックスして機内での時間を過ごせます。

（画像はイメージ）

ANAハローツアーで
快適なアメリカ旅行へ

充実したプランの
中から選べてうれしい

全コース海外旅行保険がついているので、
はじめてのアメリカ旅行でも安心。フライトが選べるテーマパークコースや、
アメリカ大自然コースもオススメです。

ANAハローツアー
ANA
アメリカ・カナダ
シティ／大自然／ディズニーリゾート
フリープラン／プラス！観光プラン
安心の海外旅行保険付き！
安心の品質

POINT 1 ANAハローツアーの直行便利用コースでは、往復のANA国際線は予約と同時に便を確約。座席指定ができます。

POINT 2 成田・羽田空港までの国内線は、全国各地から追加料金なしで利用できます。

POINT 3 1都市滞在フリーステイの他、観光プラン付き、テーマパーク、アメリカ大自然コースを用意しています。

POINT 4 早割、4名様以上グループ割、3名様1部屋割引など、各種割引や特典が豊富です。

詳しくはANA SKY WEB（www.ana.co.jp/inttour/hallo/）をご覧ください ▶

ことりっぷ co-Trip 海外版

ロサンゼルス サンフランシスコ シアトル

STAFF
●編集
ことりっぷ編集部
木村由香里
情報技研(山内章子)
●取材・執筆
木村由香里
情報技研(山内章子)
星野佐奈絵
●撮影
安田仁志
佐々木実佳(ブロウアップ・スタジオ)
天野健
末松正義
●表紙+フォーマットデザイン
GRiD
●キャラクターイラスト
スズキトモコ
●本文デザイン
ARENSKI、smbetsmb
●地図制作協力
五十嵐重寛、露木奈穂子
●制作協力
WHITE (漆畑翔子)
●DTP制作
明昌堂
●現地コーディネート
梯伸子(ロサンゼルス)
関根絵里(サンフランシスコ)
村山みちよ(シアトル)
●企画プロデュース
WHITE
●企画協力
ANA

●取材協力
ANAセールス株式会社
ロサンゼルス観光局
サンフランシスコ観光協会
シアトル・ワシントン州観光事務所
取材協力先のみなさん

2016年5月 2版2刷発行

発行人　黒田茂夫
発行所　昭文社
本社
〒102-8238
東京都千代田区麹町3-1
支社
〒532-0011
大阪市淀川区西中島6-11-23
☎0570-002060 (ナビダイヤル)
PHS、IP電話などをご利用の場合は
☎03-5953-9211
※平日9:00～17:00(年末年始、弊社休業日を除く)
ホームページ
http://www.mapple.co.jp/

※掲載のデータは2016年3～4月現在のものです。変更される場合がありますので、ご利用の際は事前にご確認ください。
※本書に掲載された内容により生じたトラブルや損害等については、弊社では補償しかねますので、あらかじめご了承のうえ、ご利用ください。
※本書掲載の商品の価格は変更になる場合があります。また、売り切れる場合もありますので、ご了承ください。
※乱丁・落丁本はお取替えいたします。

許可なく転載、複製することを禁じます。
© Shobunsha Publications, Inc. 2015.1
ISBN978-4-398-15464-4
定価は表紙に表示してあります。

旅のお金とカードのギモンQ&A アメリカ西海岸編

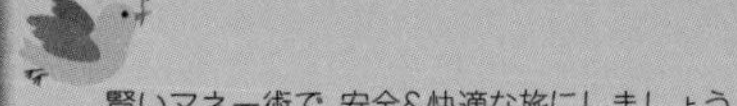

賢いマネー術で、安全&快適な旅にしましょう♪

Q 出発前に必要な準備は？

A カードの暗証番号は必須。緊急番号は別途保管

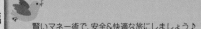

海外ではカード支払い時のPIN（暗証番号）入力が増加中。また、現地ATMを利用する場合は必ず必要です。不明な場合は出発の前にカード会社に確認を（2週間程度かかることもあります）。また、万が一のお財布の紛失などに備え、カード裏面の発行会社名、緊急連絡先はカードとは別にメモして。

Q カード支払い時にドルと円が選べる時は？

A 円だと手数料が上乗せされます

現地で、カード支払い時に「円かドルか」と聞かれることがあります。この場合、円を選ぶとお店で両替手数料が上乗せされることがあります。何も聞かれずに自動的に円が選択される場合もあるので、サイン前にレシートをチェックして。

Q ドルはどれくらい必要？

A 安全のためにも現金は最低限に。カードを活用して

海外で多額の現金を持ち歩くのはNG。現金が不足したら現地のATMで必要な分だけ引き出そう。万が一カードを紛失、盗難または不正使用されても、カード発行金融機関が定める条件[*1]を満たせば、不正利用請求分についてはカード所有者は支払い責任を負いません[*2]。不正利用の疑いが生じた場合は、速やかにカード発行金融機関にご連絡ください。

Q 両替はどんな方法がおすすめ？

A 現地のATMでドルが引き出せます

空港で並ばなくても、現地で両替所を探さなくてもVisaなどのカードがあればATMでドルを引き出せます。ATMは空港や街のあちこちにあるので、旅の時間を無駄にしません。ただし、利用にはPIN（暗証番号）が必要。クレジットカードのキャッシングの可否と限度額も確認を。

*1 詳しい条件および制限等については、カード発行金融機関にご確認ください。
*2 ATM現金取引やカードの種類によっては一部保護の対象とならない場合がございます。詳しくはカード発行金融機関にご確認ください。

知っておきたい海外ATMの操作方法

機種によって、表示や順番が違うことがありますが、基本は一緒です

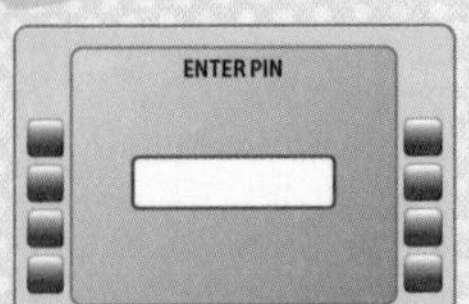

1 暗証番号を入力

4桁のPIN（暗証番号）を入力します。PINは日本でカード決済する際に入力する4桁と同じです。

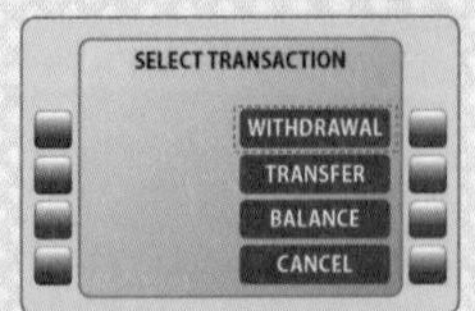

2 取引内容を選択

「English(英語)」を選択ののち、引き出しは「WITHDRAWAL」のボタンを押します。

SELECT SOURCE ACCOUNT
CHECKING
SAVINGS
CREDIT
CANCEL

3 口座を選択

「CREDIT CARD(クレジットカード)」を選びます。デビットやキャッシュカード、トラベルプリペイドを使う場合は「SAVINGS(預金)」を選択。

SELECT DISPENSE AMOUNT
300 2000
500 3000
1000 5000
OTHER CANCEL

4 金額を選択

必要な金額のボタンを選択します。自分で金額を入力したいときには「OTHER(その他)」を押します。

海外ATMの利用についての詳細はこちら
http://www.visa.co.jp/atm

海外ATMの単語帳

ACCOUNT	口座
AMOUNT	金額
CASH	現金
CASH IN ADVANCE	キャッシング
CLEAR	訂正
CREDIT	クレジットカード
DISPENSE	支払い
PIN	暗証番号
PRESS	押す
SAVINGS	預金
TRANSACTION	取引
TRANSFER	振り込み
WITHDRAWAL	引き出す

余った現金はカードと併せて使えます

余ったドルは空港のショップなどでカードと併せて支払い、使いきるのがおすすめ。余った現金を再両替すると、二重に手数料がかかります。ドルは使いきれる分だけ用意するように心掛けましょう。

PR企画